2 Geschichte der deutschen Literatur

Herausgeber:
Joachim Bark · Dietrich Steinbach
Hildegard Wittenberg

Klassik Romantik

Von Wilhelm Große und Ludger Grenzmann

Ernst Klett Verlag

Geschichte der deutschen Literatur
Herausgeber: Joachim Bark · Dietrich Steinbach
Hildegard Wittenberg
Klassik/Romantik
Klassik: Wilhelm Große
Romantik: Ludger Grenzmann

ISBN 3-12-347430-5

1. Auflage   1 ^{8} ^{7} ^{6} ^{5} ^{4} | 1991 90 89 88 87

Alle Drucke dieser Auflage können im Unterricht nebeneinander benutzt werden; sie sind
untereinander unverändert. Die letzte Zahl bezeichnet das Jahr dieses Druckes.
© Ernst Klett Verlage GmbH u. Co. KG, Stuttgart 1983. Alle Rechte vorbehalten.
Umschlag: Manfred Muraro
Satz: Setzerei Lihs, Ludwigsburg
Druck: Gutmann + Co., Heilbronn

Vorwort

Wie und zu welchem Ende schreibt man heute eine Literaturgeschichte? Und was vermag ihr Studium zu bewirken? So mag Schillers Frage, unter die er am 26. Mai 1789 seine berühmte Antrittsvorlesung in Jena gestellt hat, abgewandelt werden: Was heißt und zu welchem Ende studiert man Universalgeschichte?

Zwischen der Literaturgeschichte und einigen Ansichten von Schillers Geschichtsdeutung einen – zwar sehr lockeren – Zusammenhang zu stiften, bedeutet, die Voraussetzungen zu erhellen, die diese Geschichte der deutschen Literatur in ihren inhaltlichen und methodischen Grundannahmen, ihrer Zielsetzung und Darstellungsweise geprägt haben (Schillers weltgeschichtliche Perspektive hat hier freilich keine Entsprechung):

Demnach kommt es nicht darauf an, den Gang der Literatur vollständig und scheinbar unmittelbar im Gang der Literaturgeschichte einfach zu wiederholen, womöglich in allen einzelnen Schritten und Schöpfungen. Die universalhistorische Blickrichtung ist vielmehr bestrebt, das „zusammenhängende Ganze" zu sehen, den Gang der Literatur als Prozeß zu erkennen. Von daher wird eine „Ordnung der Dinge" gestiftet. „Verkettungen", Gliederungen und Zusammenhänge werden ins Werk gesetzt. Dies bewirkt Zusammenziehungen und Auslassungen, die ein „Aggregat" von Einzelstücken zum epochengeschichtlichen „System" erheben. Darin ist ein weiteres Moment des Geschichtsverständnisses beschlossen: Dem universalhistorischen Blick erscheint die Vergangenheit auch im Licht der Gegenwart, in der Perspektive der „heutigen Gestalt der Welt" und des „Zustands der jetzt lebenden Generation", so daß stets auch „rückwärts ein Schluß gezogen und einiges Licht verbreitet werden kann". Wechselseitige Erhellung von Einst und Jetzt wird daher möglich.

Wie und zu welchem Ende schreibt man eine Literaturgeschichte? Die Frage nach dem Wozu, nach Sinn und Zweck der vorliegenden Geschichte der Literatur mag befremdlich anmuten, da der historische Gang der Literatur doch eigentlich von sich aus zur Literaturgeschichte drängt. Sie wird jedoch verständlich angesichts der Vertrauenskrise, in welche die Literaturgeschichtsschreibung in den letzten Jahrzehnten geraten ist. Dies betrifft gerade auch den Deutschunterricht, der bisher der Literaturgeschichte wenig Recht eingeräumt, ja oft genug die Abkehr von der Geschichte vorgenommen hat.

Sucht man nach Gründen, so ist unter anderem an die lange Zeit vorherrschende Methode der werkimmanenten Literaturbetrachtung zu denken, die sich Fragen nach der Geschichtlichkeit der Literatur kaum stellt. Zu denken ist aber auch an eine allzu plane und kurzschlüssige Literatursoziologie. Zuletzt war es noch eine linguistisch orientierte Texttheorie, die Literaturgeschichte außer acht gelassen hat.

Der Umschwung ist indes am Tage; die Vorherrschaft der Methoden, die sich der Geschichtlichkeit der Literatur entziehen, ist gebrochen. Die Literaturgeschichte gewinnt ihr Selbstbewußtsein wieder. Auch der Deutschunterricht ist dabei, sich mehr und mehr der geschichtlichen Dimension zu öffnen.

Bewirkt wurde der Wandel durch ein wieder erwachtes Interesse an der Geschichte. Ihm entstammen die Frage nach der Geschichtlichkeit und Zeitlichkeit der Literatur, nach ihrer Historizität, und ein von der Literatur selbst bewirktes Geschichtsdenken. Es geht um historisches Verstehen von Literatur, das sich zugleich selbst als etwas Geschichtliches begreift.

Die historische Besinnung verliert allerdings ihren Grund, sobald frühere Epochen und Werke im Aneignungsprozeß allein vom heutigen Standpunkt aus betrachtet und kritisiert werden. Die historische Dimension wird durch bloße Aktualisierung verkürzt, das Verstehen um die Möglichkeit der wechselseitigen Erhellung von Vergangenheit und Gegenwart gebracht. Verloren geht die Spannung zwischen Traditionsbewahrung und Traditionskritik.

Es kommt vielmehr darauf an, die Literatur auch aus ihrer Zeit, aus dem Erfahrungsraum und der geschichtlichen Konstellation ihrer Epoche zu verstehen. Der geschichtliche Gehalt einer bestimmten Zeit und Epoche liegt in den Werken selbst, in ihrem historischen und literarischen Eigensinn, in ihrer literaturgeschichtlichen Stellung. Die (auch widerspruchsvolle) Einheit von Geschichte und Kunstcharakter deutlich zu machen, ist die vornehmste Aufgabe der Literaturgeschichte.

Diese Vorstellungen und Grundsätze versucht die vorliegende Literaturgeschichte einzulösen. Sie gliedert den Literaturprozeß in Epochen von der Aufklärung bis zur Gegenwart.

Mit der Epoche der Aufklärung zu beginnen, hat gute historische Gründe: Sie setzt, mit dem Anbruch des bürgerlichen Zeitalters, nicht nur eine deutliche geschichtliche Zäsur; sie ist auch das Epochenfundament der Folgezeit über die Romantik hinaus.

Auch wenn man sich nicht, wie im Falle der Aufklärung, auf das Selbstverständnis der schreibenden und lesenden Zeitgenossen berufen kann, besteht kein Grund, von den bislang gängigen Bezeichnungen für die großen Epochen der Literaturgeschichte abzugehen. Doch muß deutlich bleiben, daß es sich hierbei um Konstruktionen handelt, die eine Verständigung über die jeweiligen Zeiträume und ihre Literaturen ermöglichen. Die herkömmlichen Epochenbegriffe bleiben somit weiterhin in der Diskussion, weil die Erkenntnis einer Epochenstruktur und das Einverständnis über die sie bestimmenden allgemeingeschichtlichen und literarischen Aspekte immer nur vorläufig sein können. Das Urteil dessen, der ein Werk als exemplarisch für einen geschichtlichen Zeitraum auswählt und an ihm Epochenaspekte darlegt, ist subjektiv; es ist Wertung und muß sich im Verlauf des Lesens und Verstehens bewähren.

Damit ist schon einiges gesagt über die Art und Weise, in der die vorliegende Literaturgeschichte dem Ziel nahekommen will, die Kluft zwischen der ästhetischen Betrachtung des Einzelwerks und der historischen Erschließung einer Epoche zu überbrücken. Es soll wenigstens tendenziell eine Einheit zwischen Literatur und Geschichte gestiftet werden. Deshalb verzichtet dieses Werk auf eine je vorausgehende Gesamtdarstellung der Epochen, in die die einzelnen Werke hernach kurzerhand eingeordnet werden müßten. Solche epochalen Überblicke, losgelöst von den literarischen Individualitäten, den Werken, bleiben unsinnlich und recht eigentlich unvermittelt; sie führen zu Verkürzungen, weil sie einen Drang zur Einlinigkeit haben. Der Blick auf das einzelne Werk soll auch nicht dadurch verengt werden, daß ein Abriß der politischen und kulturellen Verhältnisse vorausgeschickt oder ein biographischer Abriß den Werkinterpretationen gleichsam vorgeordnet wird.

Mittelpunkt der Darstellung sind die einzelnen Werke. Die Darlegung ihrer ästhetischen Struktur soll die Erhellung der Epochenstruktur fördern; die Aspekte, die zum Verständnis der Poesie fruchtbar sind, taugen auch zur Skizze des literaturgeschichtlichen Zeitraums. Dabei trägt nicht nur das 'Meisterwerk' die Zeichen seiner geschichtlichen Zeit in sich; zuweilen können gerade an dem unvollkommenen, aber weitverbreiteten und insofern für die Literaturrezeption typischen Werk die Züge der Epoche abgelesen werden.

Der Autor tritt in den Hintergrund. Schriftstellerbiographien werden daher nur kursorisch eingeblendet, wenn sie etwas zum Verständnis der epochentypischen Werke beitragen.

Am besten wird die geistige Spannweite einer Epoche sichtbar, wenn unterschiedliche, unter dem epochenerhellenden Aspekt antipodische Werke oder Gattungsreihen in Konstellationen einander gegenübergestellt werden, die einen aufschlußreichen geschichtlichen Augenblick der Epoche erfassen. In derartigen 'Zusammenstößen' von Autoren und Werken, die auf die Herausforderung ihrer Zeit gegensätzlich reagierten, läßt sich die Gleichzeitigkeit von Gegensätzen erkennen. Eine Epoche wird dann als Einheit von Widersprüchen durchschaubar.

Um die Literaturgeschichte nicht nur als Epochengeschichte, sondern auch als Nachschlagwerk tauglich zu machen, sind den Kapiteln, die unter je einem epochentypischen Aspekt stehen, tabellarische Übersichten von inhaltlich zugehörigen Werken vorangestellt. Eine kleine Synopse von Daten zur Literatur und Philosophie sowie allgemeinen kulturgeschichtlichen und politischen Daten beschließt die Bände.

Die Form dieser Literaturgeschichte macht es nicht möglich, Bezüge zu wissenschaftlicher Literatur ausdrücklich auszuweisen.

Joachim Bark   *Dietrich Steinbach*

Zu diesem Band:

'Klassik' ist in Deutschland weitgehend als 'Weimarer Klassik' verstanden worden, die ihre Physiognomie aus der Spezifik der von Goethe und Schiller zwischen 1786 und 1805 verfaßten Werke erhält. Sie scheint identisch mit dem Wirken dieser beiden Autoren. Doch besonders die Schaffenszeit Goethes greift über die 'Klassik' hinaus, gehört auch anderen literarischen Epochen an. – Die Kennmarken der deutschen 'Romantik' lassen sich aus der literarischen Theorie und Praxis der Schlegel, Novalis und Tieck in den Jahren um 1800 gewinnen. Da diese Autoren um diese Zeit in engster Verbindung miteinander arbeiten, ähneln sich ihre Grundsätze, ihre Schreibweisen, ihre Themen in hohem Maß. Eine Reihe von Autoren läßt sich ihnen zugesellen, die, zeitlich unmittelbar anschließend, ihren Grundsätzen verpflichtet ist.

So faszinierend die Epocheneinteilung in 'Klassik' und 'Romantik' mit ihren zeitweise parallelen, aber kontrastiven Richtungen ist, die großen Einzelnen dieser Jahre machen sie problematisch: Jean Paul, Hölderlin, Kleist. Sie fügen sich nicht dem gewählten Epochenschema, können aber auch nicht als 'Mischtypen' abgetan werden. Ihr außergewöhnlicher dichterischer Rang liegt in der persönlichen Ausprägung klassischer und romantischer Ideen und Formen, in der persönlichen Einschmelzung älterer Traditionen, in der Wirkung auf Zeitgenossen und Spätere begründet. Die traditionelle epochengliedernde Literaturgeschichtsschreibung hat ihnen behelfsweise ein gemeinsames Zwischenkapitel gewidmet. Doch sie stellen keine geschlossene dritte Strömung oder Richtung dar: Gemeinsam ist ihnen zunächst nur ihre diese Epochenaufteilung aufbrechende Statur. Jeder von ihnen ist eine eigene Kraft, jeder ist fast seine eigene 'Epoche'.

Je reicher eine Zeit an disparaten, großen Gestalten ist, um so schwerer wird die Herausarbeitung der vielfältigen Facetten und Gegenrichtungen fallen. Eine Literaturgeschichte in Epochen stößt hier an ihre Grenzen in der Bevorzugung des Typischen vor dem Besonderen.

Inhaltsverzeichnis

Erster Teil: Klassik

Zweiter Teil: Romantik

Erster Teil: Klassik

1 Einführung in die Epoche

1.1 Gebrauch der Begriffe 'Klassik' und 'klassisch' bei Goethe und Schiller

Weder Goethe noch Schiller beziehen die Bezeichnung 'klassisch' auf ihr eigenes Werk; auch bezeichnen sie die Zeit, in der sie schreiben, nicht als 'Deutsche Klassik'. Im Gegenteil: In einem Aufsatz über den 'Literarischen Sansculottismus' (1795), erschienen im ersten Jahrgang der von Schiller herausgegebenen Zeitschrift ‚Die Horen', schreibt Goethe:
„Wir wollen die Umwälzung [gemeint ist die Französische Revolution] nicht wünschen, die in Deutschland klassische Werke vorbereiten könnte." Er fragt: „Wann und wo entsteht ein klassischer National-autor?" und gibt folgende Antwort:

„Wenn er in der Geschichte seiner Nation große Begebenheiten und ihre Folgen in einer glücklichen und bedeutenden Einheit vorfindet; wenn er in den Gesin-nungen seiner Landsleute Größe, in ihren Empfindungen Tiefe und in ihren Handlungen Stärke und Konsequenz nicht vermißt; wenn er selbst vom National-geiste durchdrungen, durch ein einwohnendes Genie sich fähig fühlt, mit dem Vergangenen wie mit dem Gegenwärtigen zu sympathisieren; wenn er seine Na-tion auf einem hohen Grade der Kultur findet, so daß ihm seine eigene Bildung leicht wird [. . .] und so viele äußere und innere Umstände zusammentreffen, daß er kein schweres Lehrgeld zu zahlen braucht, daß er in den besten Jahren seines Lebens ein großes Werk zu übersehen, zu ordnen und in einem Sinne auszufüh-ren fähig ist."

Von all diesen Bedingungen sieht Goethe im Deutschland seiner Zeit nur wenige erfüllt. Es mangelt vor allem an der wichtigsten Voraussset-zung: „Einen vortrefflichen Nationalschriftsteller kann man nur von der Nation fordern." Eine Nation ist aber Deutschland zu dieser Zeit kei-neswegs. Durch ihre „geographische Lage eng zusammengehalten", ist es „politisch zerstückelt". Und jene revolutionären Umwälzungen, die vonnöten wären, aus Deutschland eine Nation zu machen, will Goethe angesichts der Französischen Revolution nicht wünschen. Es fehlt Deutschland „ein Mittelpunkt gesellschaftlicher Lebensbildung". Ein „großes Publikum ohne Geschmack" beherrscht die literarische Szene. Der einzelne Schriftsteller lebt isoliert innerhalb einer „durch alle Teile des großen Reiches zerstreuten Menge", und er sieht sich obendrein zumeist dem Zwang ausgesetzt, sich „aus Sorge für einen Unterhalt" Arbeiten hinzugeben, „die er selbst nicht achtet", durch die er sich aber die Mittel verschaffen muß, „dasjenige hervorbringen zu dürfen, womit sein ausgebildeter Geist sich allein zu beschäftigen strebt".

Wissend um die Trostlosigkeit der deutschen Zustände, begreifen weder Goethe noch Schiller ihre eigene Zeit als eine Zeit der 'Deutschen Klassik'. Wo sie von 'Klassik' sprechen, meinen sie entweder die Tendenz der Kunst zur 'Klassizität' im Sinne formvollendeter dichterischer Größe und 'Simplizität', die Schiller in der griechischen Kunst vorgebildet sieht, oder sie meinen mit 'klassisch' 'antik', wie Goethe, wenn er in der fünften ‚Römischen Elegie' schreibt: „Froh empfind ich mich nun auf klassischem Boden begeistert." Sieht man einmal von Goethes späterer Verwendung des Begriffs 'klassisch' als Oppositionsbegriff zu 'romantisch' im Sinne des Gegensatzes 'objektiv'/'subjektiv' bzw. 'gesund'/'krank' ab, lehnen sich somit Goethe und Schiller ganz an den üblichen Gebrauch des Begriffs 'klassisch' im 18. Jahrhundert an.

1.2 Begriffsgeschichtliche Aspekte: 'klassisch', 'Klassik'

Der lateinische Ausdruck 'classicus' gilt zunächst in Rom der Bezeichnung von Angehörigen der höchsten Vermögensklasse (classis prima). Der steuerrechtliche Terminus wird erst in der Spätantike von dem Gelehrten Gellius auf den 'Autor von Rang' übertragen. Im 18. Jahrhundert schließlich wird der Begriff 'klassisch' zum ersten Male auch von deutschen Schriftstellern verwandt. 1748 spricht man in bezug auf Gottscheds ‚Grundlegung einer Deutschen Sprachkunst' von einem 'klassischen', d. h. mustergültigen bzw. meisterhaften Werk. Da die abendländische Kultur seit dem Mittelalter, insbesondere aber seit der Renaissance in der Antike Vorbild und Maßstab fand, erweitert sich die Bedeutung des Begriffs 'klassisch' im deutschen wie vorher schon im französischen Sprachraum, indem 'klassisch' und 'antik' nun miteinander gleichgesetzt werden. Klassische Autoren sind demnach zunächst die antiken, zum andern aber auch die nichtantiken, jedoch nach den Maßstäben der Antike gemessenen, mustergültigen Autoren einer Nation. Entsprechend meint 'Klassik' die gesamte griechisch-römische Antike, dann aber auch die wesentlichen Kulminationspunkte einer kulturgeschichtlichen Entwicklung überhaupt.

Neben die historische Bedeutung ('klassisch' im Sinne von 'antik') und neben die normative für mustergültige, aufgrund bestimmter Normen den antiken Schriftstellern gleichgestellte neuzeitliche Autoren und Künstler tritt schließlich noch eine dritte Bedeutung: 'Klassisch' ist nun auch die Bezeichnung für einen bestimmten Stil, den man als 'harmonisch', 'maßvoll', 'in sich vollendet', 'ausgewogen in Form und Inhalt', 'ausgereift' glaubt charakterisieren zu können.

1.3 'Deutsche Klassik' als Produkt der nationalpolitischen Literaturgeschichtschreibung des 19. Jahrhunderts

Erst die Literaturgeschichtschreibung des 19. Jahrhunderts spricht von der Zeit Schillers und Goethes als der Zeit der 'Deutschen Klassik'. Erstmals gebraucht *Heinrich Laube* diesen Begriff in seiner ‚Geschichte der deutschen Literatur' (1839) als Epochenbezeichnung für die Zeit von Lessing bis Goethe, die er mit 'Das Klassisch-Deutsche' überschreibt. Er folgt dabei einem Periodisierungsschema, wie es einige Jahre zuvor *Gervinus* in seiner ‚Geschichte der poetischen National-Literatur der Deutschen' (1834) geprägt hatte. Gervinus, der als einer der Göttinger Sieben 1837 seines Amtes als Professor an der dortigen Universität enthoben wurde, Mitarbeiter an der propreußisch-liberalgesinnten ‚Deutschen Zeitung' und Mitglied der Frankfurter Nationalversammlung war, plante eine Literaturgeschichte, in der „durch die scheinbar chaotische Mannigfaltigkeit [der Literatur] aus der Ferne ein Gesetz der Entwicklung" zu erblicken war. Die Vollendung der gesamten deutschen Literatur sieht Gervinus in den klassischen Werken Goethes und Schillers. Die 'Deutsche Klassik' als Kulminationspunkt der geistigen Entwicklung der Deutschen sei das Versprechen, das nun auch politisch durch die Einigung Deutschlands und dessen demokratische Umgestaltung eingelöst werden müsse. Der Vollendung der deutschen Nationalliteratur, in der „Goethe und Schiller zu einem Kunstideal zurückführten, das seit den Griechen niemand mehr als geahnt hatte", sollte eine nationale Blütezeit folgen.

Der von Gervinus vorgeschlagenen Periodisierung der deutschen Literaturgeschichte folgen im wesentlichen die Literaturhistoriker des 19. Jahrhunderts. Mit der Reichsgründung von 1871 verschieben sich jedoch die politischen Bezüge dieser Art der Literaturgeschichtsschreibung. Was Gervinus noch als Aufgabe in der Zukunft erschienen war, scheint mit der Reichsgründung selbst eingelöst worden zu sein. Die Klassik als geschichtliches Vorbild und als Mahnung wird nun zum Besitz und zur Bestätigung. In den beiden 'Klassikern' Schiller und Goethe spiegelt sich das deutsche Bürgertum, in ihnen findet es Selbstbestätigung und -glorifizierung. Die Klassik wird endgültig in den Dienst der Nation und der Germanisierung gestellt, sie wird ihres europäischen Kontextes im 18. Jahrhundert wie auch ihrer eigenen Widersprüche beraubt.

1.4 Gefahren der Enthistorisierung der 'Deutschen Klassik'

Die ideologische und politische Inanspruchnahme der Klassiker durch das deutsche Bürgertum verschuldete die Enthistorisierung der 'Deutschen Klassik', zwang den Werken Schillers und Goethes den Schein des

Überzeitlichen auf, gewann ihnen 'ewige' Stilnormen und Gehalte ab
und verkürzte das literarische Geschehen, indem sie aus dem Zeitraum
zwischen 1780 und 1805 nur noch den Werken Schillers und Goethes
Geltung zuerkannte. Solche verengte und unhistorisch wertende Literaturgeschichtsschreibung verstellt sich die Sicht auf die literarische Entwicklung. Sie verdrängt beispielsweise den europäischen Kontext des
Klassizismus, innerhalb dessen auch die Werke Goethes und Schillers
stehen. Sie läßt Kleist, Jean Paul oder Hölderlin zu Randfiguren des
literarischen Geschehens werden. Sie ist außerdem blind für literarische
Strömungen, die sich parallel zur Weimarer Klassik entwickeln oder
ungebrochen fortsetzen. Dazu gehören beispielsweise die Literatur der
sog. Spätaufklärung wie der literarische Jakobinismus. Da sie ihren
Blick nur auf den literarischen Höhenkamm einstellt, bemerkt sie nicht,
von welchen Zeugnissen der literarische Markt beherrscht wird, und
verzichtet so auf die Möglichkeit, das Weimarer Literaturkonzept u. a.
auch als eine Gegenbewegung eines kleinen Kreises von Intellektuellen
gegen die Masse der Trivialliteratur der Zeit zu verstehen.
Es geht demnach nicht an, die Weimarer Klassik aus ihrem literarischen
Umfeld herauszulösen. Sie integriert das in Aufklärung und Sturm und
Drang Geleistete, hebt es in Form einer Synthese auf höherer Ebene
auf. Der Prozeß literarischer Entwicklung macht es schwer, feste Grenzen zwischen einem Davor und einem Danach zu ziehen. Bezeichnend
ist, daß in der literaturgeschichtlichen Forschung der DDR die Klassik
als Kulminationspunkt der bürgerlichen Aufklärung gilt, zu der auch der
Sturm und Drang gerechnet wird. Für die englische Forschung existierte
lange Zeit die Klassik als Epoche gar nicht, Goethe und Schiller galten
als Romantiker.

1.5 Grundzüge der Epoche

Geht es um die Abgrenzung der Epoche, sind einige Schwierigkeiten zu
bedenken:
Die Literatur der sogenannten Weimarer Klassik ist in die europäische
Literatur am Ausgang des 18. Jahrhunderts verwoben. Sie ist auch der
Tradition der deutschen Aufklärung und den Impulsen des Sturm und
Drang verpflichtet, und ihre Grenzen zur Romantik verschwimmen.
Anfang und Ende der Weimarer Klassik lassen sich anhand von histori-
schen Ereignissen oder anhand des Erscheinens bestimmter literarischer
Werke nicht eindeutig bestimmen. Auch fällt es schwer zu entscheiden,
welche Schriftsteller der Weimarer Klassik zuzurechnen sind. Dennoch
ist es gerechtfertigt, die Weimarer Klassik als einen bestimmten
Abschnitt innerhalb der Entwicklung der deutschen Literatur herauszu-
stellen. Dafür gibt es folgende Gesichtspunkte:

a) Die Klassik ist eine Abgrenzungsbewegung in mehrfacher Hinsicht. Goethe und Schiller lösen sich aus dem Kreis der Sturm-und-Drang-Autoren, wechseln an den Weimarer Hof über, kooperieren schließlich in ihrer schriftstellerischen Arbeit. Im Schutze dieses Bundes wehren sich beide gegen literarische Erscheinungen, die ihren Prinzipien nicht verpflichtet sind. Dies trifft zum einen Jean Paul, Hölderlin, Kleist und sodann die Jenaer Gruppierung der Frühromantiker. Zum andern bedeutet die von ihnen streng eingehaltene Ausrichtung der Literatur auf einen kleinen Kreis von Lesern den Kampf gegen die sich immer weiter verbreitende Trivialliteratur. Die Abkapselung gegenüber dem Alltäglich-Trivialen verbindet sich mit der Wahl des Weimarer Hofs als eines kulturellen Zentrums, denn die hier gepflegte höfische Kultur, ihre verfeinerten Lebensformen und Kommunikationsweisen gelten dem bürgerlichen Dichter Goethe als Ideal einer ästhetischen Lebensweise.

b) Goethe und Schiller erfahren die Begrenztheit des Menschlichen und entwickeln den Sinn für die Objektivität in Natur und Geschichte. Die Absolutsetzung des Ichs, seiner Subjektivität, weicht der Erfahrung der „Grenzen der Menschheit".

Goethes und Schillers Aufhebung des Sturm und Drang erzwingt den Wechsel der literarischen Formen und die Orientierung an antiken literarischen Mustern.

c) Aus dem erneuten Versuch, Subjektivität und Objektivität miteinander harmonisch zu vermitteln, gehen Entwürfe der Humanität hervor, die in den Ideen der Toleranz und einer fortschreitenden Menschheitsgeschichte zum Teil noch dem Denken der Aufklärung verpflichtet sind. Die Antike als Zeit gelebter Humanität wird erinnernd vergegenwärtigt. Sie stellt z. B. im Schönheitsideal (Kalokagathie) oder in der Harmonie von Vernunft und Sinnlichkeit die Orientierungspunkte für eine neue Lebensweise vor.

Die Weimarer Klassik formuliert ein Erziehungsprogramm. Sie entwirft im autonomen Kunstwerk einen Vor-Schein der harmonisch ausgebildeten Individualität. Überzeugt davon, daß sich nur durch das ausgebildete Individuum auch das Gemeinwesen zur geglückten Sozietät entwickle, gestaltet sie idealisierte Modelle der Persönlichkeitsentfaltung, in der die Vermittlung von Objektivität und Subjektivität gelingt. In dem Bildungsideal zeichnet die Klassik der Zeit eine Möglichkeit vor, den Zustand der Entfremdung zu überwinden, damit der Mensch sich „nicht in dieser Entfremdung verliere, und daß vielmehr von allem, was er außer sich vornimmt, immer das erhellende Licht und die wohltätige Wärme in sein Inneres zurückstrahle" (Humboldt).

d) Auch wenn die Klassiker versuchen, Literatur und Tagespolitik voneinander getrennt zu halten, ist dennoch ein großer Teil ihrer Werke als indirekte Auseinandersetzung mit der Französischen Revolution zu ver-

stehen. Sie vermeiden zwar, die Literatur politischen Zwecken zu unterstellen oder direkt Stellung zu nehmen wie der literarische Jakobinismus, der die Literatur zum Medium politischer Erziehung umfunktio-
niert. Aber sie streben die ästhetische Versöhnung an, in der ein Ausgleich zwischen Adel und Bürgertum möglich wird. Während die Jakobiner Partei für die Revolution nehmen, setzen Schiller, Goethe und
auch Hölderlin auf Reform, die durch die ästhetische Erziehung unterstützt oder vorbereitet werden soll. So formuliert Schiller programmatisch in der Ankündigung der ‚Horen‘, daß in der Zeitschrift „alle [...]
Beziehungen auf den jetzigen Weltlauf und auf die nächsten Erwartungen der Menschheit" verboten seien. Das Publikationsorgan der Klassiker will sich von dem „allverfolgenden Dämon der Staatskrise" absetzen
und die Gemüter durch ein „allgemeines und höheres Interesse an dem,
was rein menschlich und über allen Einfluß der Zeiten erhaben ist,
wieder in Freiheit [...] setzen und die politisch geteilte Welt unter der
Fahne der Wahrheit und Schönheit wieder [...] vereinigen". Alles soll
ausgeschieden sein, „was mit einem unreinen Parteigeist gestempelt ist".
Der Kunst ist es aufgegeben, „wahre Humanität zu befördern. Man wird
streben, die Schönheit zur Vermittlerin der Wahrheit zu machen und
durch die Wahrheit der Schönheit ein dauerndes Fundament und eine
höhere Würde zu geben."

1.6 Möglichkeiten der Periodisierung

Es besteht weitgehend darüber Einigkeit, für die Klassik den Zeitraum
zwischen 1786 und 1805 anzusetzen. Maßgeblich für diese Eckdaten ist
Goethes Bekenntnis, seine Italienreise (1786–1788) sei für ihn eine
‘Wiedergeburt’ gewesen. Durch den frühen Tod Schillers im Jahre 1805
findet das Bündnis zwischen Goethe und Schiller ein jähes Ende. Es
scheint jedoch angebracht, die Darstellung der Klassik bereits mit
Goethes Ankunft am Weimarer Hof im Jahre 1775 beginnen zu lassen,
denn mit den ersten Weimarer Jahren werden wichtige Grundlagen der
Weimarer Klassik geschaffen. Folgende Orientierungsdaten bieten sich
für eine Binnengliederung an:

1775–1786	Goethes erster Aufenthalt in Weimar
1785–1787	Schiller in Leipzig und Dresden
1786–1794	Goethes erste und zweite Italienreise; Französische Revolution, Teilnahme Goethes an der Campagne in Frankreich und der Belagerung von Mainz
1789	Schillers Übersiedlung nach Jena
1794–1805	Bündnis Schillers mit Goethe und gemeinsame literarische Arbeit bis zu Schillers Tod

Es ergibt sich für eine literaturgeschichtliche Darstellung die Schwierigkeit, das Spätwerk Goethes einzuordnen, widersetzt es sich doch jegli-
cher Epochenzuweisung. Aus Gründen der Übersichtlichkeit soll jedoch
hier das Spätwerk im Zusammenhang der Klassik dargestellt werden.
Für eine solche Einordnung spricht zumindest, daß Goethes Alterswerk
in vieler Hinsicht der Versuch ist, die von ihm aufgebaute klassische
Position rückgängig zu machen. Gerade die Widerlegung seines eigenen
klassischen Werkes durch sein Alterswerk sollte skeptisch machen und
Vorsicht im Umgang mit den Klassikern und der ihnen angedichteten
überzeitlichen Kunstnorm walten lassen.

1.7 Klassik als literarisches Experiment

Man dürfte den Autoren der Weimarer Klassik näherkommen, wenn
man Nietzsches Rat aus seiner zweiten ,Unzeitgemäßen Betrachtung'
sich zu eigen macht und die Klassiker als 'Suchende' begreift.

„Was urteilt aber unsere Philisterbildung über [die Klassiker]? Sie nimmt sie
einfach als Findende und scheint zu vergessen, daß jene selbst sich nur als
Suchende fühlten. Wir haben ja unsere Kultur, heißt es dann, denn wir haben ja
unsere 'Klassiker'. Das Fundament ist nicht nur da, nein auch der Bau steht schon
auf ihm gegründet – wir selbst sind dieser Bau. Dabei greift der Philister an die
eigene Stirn. Um aber unsere Klassiker so falsch beurteilen und so beschimpfend
ehren zu können, muß man sie gar nicht mehr kennen: und dies ist die allgemeine
Tatsache. [...] Ihnen das so nachdenkliche Wort 'Klassiker' anzuhängen und sich
von Zeit zu Zeit einmal an ihren Werken zu 'erbauen', das heißt, sich jenen
matten und egoistischen Regungen überlassen, die unsere Konzertsäle und Thea-
terräume jedem Bezahlenden versprechen; auch wohl Bildsäulen stiften und mit
ihrem Namen Feste und Vereine bezeichnen – das alles sind nur klingende
Abzahlungen, durch die der Bildungsphilister sich mit ihnen auseinandersetzt,
um im übrigen sie nicht mehr zu kennen, und um vor allem nicht nachfolgen und
weiter suchen zu müssen."

Die Klassik ist aufgrund der historischen Konstellation ein einmaliges
literarisches Experiment einer sich autonom setzenden Literatur, das in
seinem ästhetischen Konzept nicht allgemeinverbindlich gemacht werden kann. Die von den Weimarern verkündete und verwirklichte Autonomie der Dichtung meint nicht deren Zeitenthobenheit, sondern die
Freisetzung der Literatur von außerliterarischen Zwecken, und als solche ist sie eine ganz spezifische Antwort auf eine bestimmte historische
Situation.

(1) *Ansicht von Weimar, um 1780. Kupferstich von G. M. Kraus. Foto: Archiv für Kunst und Geschichte, Berlin (West)*

(2) *Das 1774 abgebrannte Residenzschloß in Weimar. Aquarell. Foto: Archiv für Kunst und Geschichte, Berlin (West)*

(3) *Das alte Hoftheater in Weimar, um 1800. Holzstich nach einer Zeichnung von O. Schulz. Foto: Bildarchiv preußischer Kulturbesitz, Berlin (West)*

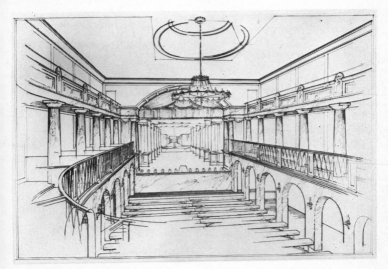

(4) *Rekonstruktion des Zuschauerraumes im Weimarer Hoftheater nach dem Umbau durch N. F. Thouret, 1798. Foto: Nationale Forschungs- und Gedenkstätten der klassischen deutschen Literatur in Weimar*

(5) *Schiller: ‚Wallensteins Lager‘, Dekoration und Gruppenbild. Kolorierter Stich von Christian Müller. Weimar, Schillerhaus. Foto: Freies Deutsches Hochstift*

So wie es der Stich von G. M. Kraus (um 1780) zeigt (Abb. 1), hat Weimar sich Goethe präsentiert, als er 1775 auf Einladung des Herzogs Karl August dort seinen Wohnsitz nahm. Man hatte nach dem Schloßbrand von 1774 (Abb. 2), durch den die Bühne vernichtet wurde, nicht mehr Theater gespielt. Ersatzweise richtete Anna Amalia, die Mutter Karl Augusts, ein Liebhabertheater ein. Erst 1784 erhielt Weimar wieder ein Berufstheater (Abb. 3), das mit einem Zuschuß von 300 Talern und manchen sonstigen Vergünstigungen vom Hofe unterstützt wurde. Josef Bellomo leitete das Theater, bis Goethe 1791 die Direktion übernahm; erst 1817 gab er sie wieder ab. Die Innenraumgestaltung (Abb. 4) ist ein Beispiel für die der Antike architektonisch nachempfundene Klassizität. Erste Versuche einer Historisierung in Kostüm und Dekoration (Abb. 5 und 6), aber auch der Hang zu empfindsamer Gestaltung (Abb. 7) und zugleich zur Allegorisierung (Abb. 8) machen jene Mischung der Stile in der Bühnenpraxis der damaligen Zeit deutlich, in die Goethe durch die hohe Stilisierung von Deklamation, Gestik und Mimik einen weiteren Akzent brachte.

(6) *Schiller: ‚Wallensteins Tod‘, III. 23: Max’ und Theklas Abschied. Kolorierter Stich von Christian Müller, 1810, nach einem Original von Johann August Nahl. Weimar, Schillerhaus. Foto: Nationale Forschungs- und Gedenkstätten der klassischen deutschen Literatur in Weimar*

(7) *Schiller: ,Wilhelm Tell', IV. 1, Weimarer Bühnenbild. Kolorierte Radierung von Chr. Gottlob Hammer nach K. L. Kaaz, 1804. Foto: Nationale Forschungs- und Gedenkstätten der klassischen deutschen Literatur in Weimar*

(8) *Entwurf für den Vorhang des Weimarer Theaters von G. M. Kraus, 1805. Nach: Hans Knudsen: Goethes Welt des Theaters. Ein Vierteljahrhundert Weimarer Bühnenleitung. Verlag des Druckhauses Tempelhof, Berlin 1949, S. 61*

2 Weimar als literarisches Zentrum

2.1 Weimar zur Zeit Goethes

Am 7. November 1775 traf Goethe, einer Einladung Karl Augusts von Weimar folgend, in Weimar ein. Die Gründe, die ihn dazu bewogen hatten, Frankfurt zu verlassen, waren zum einen die Unzufriedenheit mit seiner juristischen Berufstätigkeit in Frankfurt, zum andern der Wunsch, sich in einem neuen Wirkungsfeld, konfrontiert mit neuen Aufgaben, selbst zu erziehen und seine Kraft der Phantasie an der Empirie zu überprüfen. In einem Brief an seine Mutter rechtfertigt er nachträglich seinen Entschluß, gegen den Willen des republikanisch gesinnten Vaters an den weimarischen Musenhof zu gehen:

„Das Unverhältnis des engen und langsam bewegten bürgerlichen Kreises zu der Weite und Geschwindigkeit meines Wesens hätte mich rasend gemacht. Bei der lebhaften Einbildung und Ahndung menschlicher Dinge, wäre ich doch immer unbekannt mit der Welt, und in einer ewigen Kindheit geblieben, welche meist durch Eigendünkel, und alle verwandte Fehler, sich und anderen unerträglich wird. Wieviel glücklicher war es, mich in ein Verhältnis gesetzt zu sehen, dem ich von keiner Seite gewachsen war, so ich durch manche Fehler, des Unbegriffs und der Übereilung mich und andere kennen zu lernen, Gelegenheit genug hatte, wo ich, mir selbst und dem Schicksal überlassen, durch so viele Prüfungen ging, die viele hundert Menschen nicht nötig sein mögen, deren ich aber zu meiner Ausbildung äußerst bedürftig war."

Weimar mit seinen nicht ganz 6000 Einwohnern bildete den Marktflek-ken für das umliegende Land und den Regierungssitz für die vereinigten Herzogtümer Weimar und Eisenach. Ohne Industrie, ohne einen ausge-prägten Mittelstand bestand die Bevölkerung Weimars zu gut einem Drittel aus Dienstboten und Gelegenheitsarbeitern, zu fast zwei Fünftel aus Kaufleuten und Handwerkern und zu mehr als einem Viertel aus Staats- und Stadtbeamten oder Angehörigen akademischer Berufe. Eine deutliche Kluft ging durch die Bevölkerung zwischen einer Handvoll höfischer Adliger, den Tüchtigeren unter den Angehörigen akademi-scher Berufe und höheren Beamten einerseits und der einfachen Bevöl-kerung andererseits. Weimar, „nicht eine kleine Stadt, sondern [eher] ein großes Schloß" – wie Madame de Staël bemerkt –, war ganz auf den Hof hin ausgerichtet. In dieser Umgebung von „kleinstädtischen Spieß-bürgern, welchen man weder die Verfeinerung einer Hofstadt noch son-derlichen Wohlstand anmerkt" – wie ein anonymer Schriftsteller in sei-nen ‚Reisen durch Thüringen' berichtet –, fand Goethe am Hof dennoch einige für ihn interessante und wichtige Persönlichkeiten, die von der kunstliebenden Mutter Karl Augusts, Anna Amalia – sie hatte gerade ihre Regentschaft an ihren Sohn abgetreten –, nach Weimar berufen worden waren. Zu diesem Kreis gehörten: Wieland als Prinzenerzieher (seit 1772); Charlotte von Stein, die Frau des weimarischen Stallmeisters, zu der Goethe über zehn Jahre ein besonders enges Verhältnis hatte; die Hofdame Luise von Göchhausen; Johann Karl Musäus, der Herausgeber der Volksmärchen der Deutschen; Karl Ludwig von Knebel, Erzieher des Prinzen Konstantin und bekannt als Übersetzer antiker Dichtung; schließlich der Drucker und Verleger Friedrich Justin Bertuch. In späteren Jahren zählten zum engeren Weimarer Kreis noch der weimarische Kanzler Friedrich von Müller, der Kunstgelehrte Johann Heinrich Meyer, der Philologe Friedrich Wilhelm Riemer und Goethes späterer Sekretär und Gesprächspartner Johann Peter Eckermann. Auf Goethes Anregung hin erhielt Johann Gottfried Herder 1776 die Stelle eines Generalsuperintendenten, schließlich siedelte Schiller 1799 endgültig von Jena nach Weimar über, womit der Grundstein einer bis zu Schillers Tod währenden schriftstellerischen Zusammenarbeit und Partnerschaft gelegt war.

2.2 Das Bündnis zwischen Schiller und Goethe

Johann Wolfgang von Goethe/Friedrich Schiller:
Xenien (1796)　Balladen (1797/98)

Die Freundschaft zwischen Schiller und Goethe datiert seit 1794. Eine erste Begegnung im Jahre 1788 war ohne Folgen geblieben. Anläßlich eines Geburtstagsbriefes, in dem Schiller ein treffendes Charakterbild Goethes zeichnet, gesteht Goethe in einem Antwortschreiben vom 27. 8. 1794 an Schiller:

„Ich habe den redlichen und so seltenen Ernst, der in allem erscheint, was Sie geschrieben und getan haben, immer zu schätzen gewußt, und ich darf nunmehr Anspruch machen, durch Sie Selbst mit dem Gange Ihres Geistes, besonders in den letzten Jahren, bekannt zu werden. Haben wir uns wechselseitig die Punkte klar gemacht, wohin wir gegenwärtig gelangt sind, so werden wir desto ununterbrochener gemeinschaftlich arbeiten können."

Die gemeinschaftliche Arbeit ist von Anfang an daraufhin angelegt, angesichts der aus den politischen Ereignissen im Zuge der Französischen Revolution überall zu beobachtenden Parteiungen ein Gegenmodell freundschaftlichen Umgangs zu leben. In einem Schreiben an Fritz von Stein spricht Goethe demzufolge seine Hoffnung aus, mit Schiller „gemeinschaftlich zu arbeiten, zu einer Zeit, wo die leidige Politik und der unselige körperlose Parteigeist alle freundschaftlichen Verhältnisse [...] zu zerstören droht". Was das Bündnis zwischen beiden Dichtern ermöglichte, war zum einen ihr gemeinsames Interesse an Antike und

Renaissance, zum andern die Verstörung durch die Ereignisse in Frankreich und Deutschland; was ihr Bündnis so fruchtbar werden ließ, waren die unterschiedlichen Vorlieben für die Naturwissenschaften auf seiten Goethes, für Philosophie und Geschichte auf seiten Schillers und die daraus resultierenden Spannungen: Schiller ging von der an der kantischen Philosophie orientierten spekulativen Idee aus, Goethe von der Anschauung, dem „beobachtenden Blick, der so still und rein auf den Dingen ruht".

Zeugnisse der gemeinsamen Arbeit sind die Zeitschriften ‚Horen‘ und ‚Propyläen‘. Schiller ermunterte Goethe zur Umarbeitung des sogenannten ‚Urmeister‘ (= Wilhelm Meisters theatralische Sendung) zu ‚Wilhelm Meisters Lehrjahre‘, zur Weiterarbeit am ‚Faust‘. Er spielte die Rolle des Kunstrichters bei der Entstehung von Goethes ‚Hermann und Dorothea‘ und den ‚Unterhaltungen deutscher Ausgewanderten‘, bearbeitete, da er von Goethe zur Mitarbeit am Weimarer Hoftheater eingeladen wurde, dessen ‚Egmont‘. Goethe wiederum beriet Schiller bei der Konzeption seiner Dramen (‚Wallenstein‘, ‚Maria Stuart‘ usw.).

Ein Jahr nach Erscheinen der gemeinsam verfaßten ‚Xenien‘ im ‚Musenalmanach für das Jahr 1797‘ dokumentierte sich erneut, aber jetzt in ganz anderer Weise, die fruchtbare Zusammenarbeit zwischen Schiller und Goethe. Beide hatten im Zuge ihrer vornehmlich brieflich ausgetragenen Diskussion über eine Neubestimmung der literarischen Gattungen und deren Wirkung ihr früheres Interesse für die Ballade erneuert, die Goethe später als den ‘Urtypus der Poesie’ bestimmte, „weil hier die Elemente noch nicht getrennt, sondern wie in einem lebendigen Ur-Ei zusammen sind", aus dem sich durch weitere Differenzierung die lyrische, epische und dramatische Behandlung eines Stoffes als verschiedene Möglichkeiten seiner literarischen Verarbeitung ergeben. Die wichtigsten Balladen, die in den Jahren 1797/98 und in den folgenden Jahren entstanden, sind Schillers ‚Der Ring des Polykrates‘, ‚Der Handschuh‘, ‚Der Taucher‘, ‚Die Kraniche des Ibykus‘, ‚Die Bürgschaft‘, ‚Der Graf von Habsburg‘ und Goethes ‚Der Schatzgräber‘, ‚Die Braut von Korinth‘, ‚Der Gott und die Bajadere‘, ‚Der Zauberlehrling‘, das ‚Hochzeitslied‘, ‚Der Totentanz‘ und ‚Ballade‘.

Sicherlich festigte das Bündnis zwischen Schiller und Goethe die gemeinsame Arbeit. Was es aber insbesondere absicherte, war die Faszination darüber, im anderen jeweils das notwendige Komplement zu sich selbst gefunden zu haben. Nach der Schillerschen Typologie (s. Schillers Abhandlung ‚Über naive und sentimentalische Dichtung‘, 1795/96) trafen sich hier der ‘Idealist’ und der ‘Realist’, der ‘sentimentalische’ und der ‘naive’ Dichter. Unverkennbar trug auch zu dem guten Verhältnis zwischen Schiller und Goethe bei, daß sie sich gemeinsam gegen den Sturm und Drang als eine in ihren Augen überwundene Phase der Literatur aussprachen und in ihrem ablehnenden Urteil gegenüber Kleist, Hölder-

lin und Jean Paul übereinstimmten. Sie distanzierten sich gemeinsam
von der Trivialliteratur der Zeit. Dieser dreifache Distanzierungsver-
such ließ die Übereinstimmung zwischen ihnen um so größer werden.

2.3 Distanzierungsversuche

Johann Wolfgang von Goethe:
Einfache Nachahmung der Natur, Manier und Stil (1789)
Friedrich Schiller: Verbrecher aus verlorener Ehre (1786)
Über Bürgers Gedichte (1791)
Otto Heinrich Freiherr von Gemmingen:
Der deutsche Hausvater (1780)
August Wilhelm Iffland: Verbrechen aus Ehrsucht (1784)
Die Hagestolzen (1793)
Christian August Vulpius: Rinaldo Rinaldini der Räuberhaupt-
mann. Eine romantische Geschichte unseres Jahrhunderts (1798)
August von Kotzebue: Die deutschen Kleinstädter (1803)

2.3.1 Distanzierung vom Sturm und Drang

Goethes Gang nach Weimar als Versuch, sich von seiner Sturm-und-
Drang-Phase zu distanzieren, trug symptomatische Züge, denn wie er
versuchten auch andere Sturm-und-Drang-Autoren, von ihrer bisheri-
gen Existenz- und Schreibweise Abstand zu gewinnen. Goethe wählte
den Weimarer Hof als ein kulturelles Zentrum, denn die hier gepflegte
höfische Kultur, die verfeinerten Lebensformen, die kultivierten Kommunikationsweisen galten dem bürgerlichen Dichter als Ideal einer
ästhetischen Lebensweise.
Lenz mußte bemerkt haben, daß sich Goethe in Weimar von der historisch überholten Sturm-und-Drang-Gruppierung mit aller Gewalt losrei-
ßen wollte. In seinem 1776 entstandenen, erst später in den ‚Horen'
(1797) erschienenen, Fragment gebliebenen Roman ‚Der Waldbruder',
der als Pendant zu ‚Werthers Leiden' gedacht war, porträtierte er in der
Gestalt Rothes Goethe. In einem Brief an die Hauptfigur Herz, in die
Jakob Michael Reinhold Lenz seine eigene Biographie einzeichnete,
heißt es:

„Ich [Rothe] lebe glücklich wie ein Poet, das will bei mir mehr sagen, also glücklich wie ein König. Man nötigt mich überall hin und ich bin überall willkommen,
weil ich mich überall hinzupassen und aus allem Vorteil zu ziehen weiß. [...] Die
Selbstliebe ist immer das, was uns die Kraft zu den andern Tugenden geben muß,
merke dir das, mein menschenliebiger Don Quischotte! [...] Ich weiß, du knir-

schest die Zähne zusammen, aber mein Epikureismus führt doch wahrhaftig weiter, als Dein tolles Streben nach Luft- und Hirngespinsten."

Auch Schillers Kritik an *Bürger* (‚Über Bürgers Gedichte') aus dem
Jahre 1791 ist nicht nur die Abrechnung mit einem Sturm-und-Drang-
Autor, sondern zugleich die Kritik an einer dem Sturm und Drang
eigentümlichen Tendenz zur Volkstümlichkeit (s. Gottfried August Bürgers Abhandlung ‚Von der Popularität der Poesie', 1784, und ‚Herzens-
ausguß über Volkspoesie', 1776). Schiller distanziert sich von dem ausdrücklich als 'Volkssänger' sich verstehenden Bürger, indem er ihm vor-
wirft, daß seine „Muse überhaupt einen zu sinnlichen, oft gemeinsinnli-
chen Charakter zu tragen scheine, daß ihm Liebe selten etwas anderes
als Genuß oder sinnliche Augenweide, Schönheit oft nur Jugend,
Gesundheit, Glückseligkeit nur Wohlleben sei". Er tadelt an Bürger,
daß dieser sich „ausschließlich der Fassungskraft des großen Haufens"
bequeme und dabei auf den Beifall auch „der gebildeten Klasse" ver-
zichte, statt den „ungeheuren Abstand, der zwischen beiden sich
befinde, durch die Größe seiner Kunst aufzuheben und beide Zwecke
vereinigt zu verfolgen". Von klassischer Position her geurteilt, mangelt
es Bürger als dem Repräsentanten des Sturm und Drang demnach an
„Idealisierkunst", an jener Kraft der Sublimation, dank deren das Sinnliche und Leidenschaftliche, „das Individuelle und Lokale" zum Allgemeinen, zur „Vollkommenheit" und „Harmonie" erhoben werden
könnte.
Eben dieses „innere Ideal von Vollkommenheit, das in der Seele des
Dichters wohnt", vermissen Goethe und Schiller auch an Kleist, Jean
Paul und Hölderlin, denn nicht nur einige Sturm-und-Drang-Autoren
wie Klinger und Lenz zog Weimar magnetisch an (Goethe gewährte
beiden Aufnahme, unternahm jedoch nichts, als sie sich kompromittier-
ten und vom Hofe verwiesen wurden), sondern auch diese jungen Autoren fühlten sich durch Weimar angezogen. Sie wählten dort zumindest
für kurze Zeit ihr Domizil, Hölderlin und Kleist unterwarfen sogar ihre
Werke dem Urteil Goethes und Schillers, maßen sich an diesen beiden
und wollten an ihnen gemessen werden.

2.3.2 Distanzierung von Jean Paul, Hölderlin und Kleist

Charlotte von Kalb, die Freundin Schillers und Hölderlins, lud *Jean
Paul* nach Weimar ein. Der „Kampf- und Tummelplatz des Geistes",
wie Jean Paul Weimar treffend bezeichnete, war ein kompliziertes
Gelände. 1796 wurde er vor allem im Kreise Herders sehr herzlich aufgenommen, aber allzubald geriet er in das weimarische Cliquenwesen.
Man spielte ihn, seine Subjektivität gegen die Objektivität der Klassiker
aus; andererseits profitierte er von den Klassikern, indem sich sein in
dieser Zeit verfaßter Roman ‚Titan' den Ideen der Klassiker näherte.
Seine Unterstützung Herders bei der Auseinandersetzung mit Kant trug

ihm zwar Herders ganze Sympathie ein, bedingte aber gleichzeitig die
reservierte Haltung, die Goethe und Schiller ihm gegenüber an den Tag
legten, selbst als Jean Paul für längere Zeit (1798–1800) sein Domizil in
Weimar aufschlug.

Distanziert hatten sie schon seinen Besuch im Jahre 1796 aufgenommen.
So schrieb Goethe am 22. Juni 1796 an Schiller: „Richter [Jean Paul] ist
ein kompliziertes Wesen, daß ich mir die Zeit nicht nehmen kann, Ihnen
meine Meinung über ihn zu sagen." Schiller antwortete nach der ersten
Begegnung: „Ich habe ihn ziemlich gefunden, wie ich ihn erwartete;
fremd wie einer, der aus dem Mond gefallen ist, voll guten Willens und
herzlich geneigt, die Dinge außer sich zu sehen, nur nicht mit dem
Organ, womit man sieht." So fremd und darum – trotz aller Achtung –
letztlich unannehmbar wie Jean Paul erschien auch *Hölderlin* Goethe
und Schiller. Und das, obwohl sich Hölderlin in seiner ersten Schaffensphase außer an Klopstock insbesondere an der Lyrik Schillers orientierte. Charlotte von Kalb sorgte dafür, daß er sich in Jena, später dann
in Weimar ansiedelte. Schiller nahm sich Hölderlins, seines „liebsten
Schwaben", zunächst gern an, und auch noch während Hölderlins Aufenthalt in Frankfurt im Hause Gontard blieb der Kontakt zu Schiller
aufrechterhalten. Schiller nahm den ‚Hyperion' in der zweiten Fassung
in seine Zeitschrift ‚Neue Thalia', Gedichte wie ‚An die Natur' oder
‚Sonnenuntergang' in einen seiner Almanache auf. Dennoch verschloß
sich Schillers Verständnis, sobald Hölderlin seinen persönlichen Stil
gefunden hatte. Bemerkenswert ist Schillers entsprechende Mitteilung
an Goethe:

„Aufrichtig, ich fand in diesen Gedichten viel von meiner eigenen sonstigen
Gestalt, und es ist nicht das erstemal, daß mich der Verfasser an mich mahnte. Er
hat eine heftige Subjektivität und verbindet damit einen gewissen philosophi-
schen Geist und Tiefsinn. Sein Zustand ist gefährlich, da solchen Naturen so gar
schwer beizukommen ist. [...] Ich würde ihn nicht aufgeben, wenn ich nur eine
Möglichkeit wüßte, ihn aus seiner eignen Gesellschaft zu bringen und einem
wohltätigen und fortdauernden Einfluß von außen zu eröffnen."

Die Abweisung weiterer Schiller zugesandter Gedichte, Schillers und
Goethes Desinteresse an einer von Hölderlin geplanten Zeitschrift und
schließlich die ausbleibende Antwort Schillers auf einen Bittbrief Hölderlins, an der Universität Jena Vorlesungen über die griechische Literatur abhalten zu können, schnitten den losen Kontakt zu den Weimarern endgültig ab.

Weniger auf Schiller als auf Goethe hin orientiert, suchte auch *Kleist* die
Anerkennung durch Schiller und Goethe. Aber auch ihn traf das Ver-
dikt, das Schiller in einem Brief an Goethe (17. 8. 1797) gegen Jean Paul
und Hölderlin fällte. Zwar erkannten Schiller wie Goethe die Genialität
Jean Pauls, Hölderlins und Kleists, aber gleichsam als Selbstschutz

wehrten sie sich gegen das „absolut und unter allen Umständen so subjektivisch Überspannte und Einseitige" der drei Autoren. „Ich möchte wissen", so schreibt Schiller, „ob es an etwas Primitivem liegt, oder ob nur der Mangel einer ästhetischen Nahrung und Einwirkung von außen und die Opposition der empirischen Welt, in der sie leben, gegen ihren idealischen Hang diese unglückliche Wirkung hervorgebracht hat."

2.3.3 Distanzierung von der Trivialliteratur

Manche Züge der Weimarer Klassik sind nur verständlich, wenn man sie auch als einen Versuch versteht, gegen die den Leser der Zeit überflutende Trivialliteratur anzuschreiben. Der Autonomieanspruch der Klassiker meint auch die bewußte Abwendung von den Erwartungen der Masse der Leser. Wenn Goethe in seiner Abhandlung über ‚Einfache Nachahmung der Natur, Manier und Stil' (1789) den je individuellen, auf das Sujet hin ausgerichteten Stil fordert, tut er dies sicherlich auch in Hinsicht auf die alles gemein machende Manier der Erfolgsautoren seiner Zeit. Und wenn Schiller in seiner Auseinandersetzung mit Bürger sich gegen die „schlechte" und „falsche" Popularität des Schriftstellers wehrt, so hat er dabei wohl auch ein Auge auf die ihn umgebende Trivialliteratur:

„Es ist also nicht genug, Empfindung mit erhöhten Farben zu schildern; man muß auch erhöht empfinden. Begeisterung allein ist nicht genug; man fordert die Begeisterung eines gebildeten Geistes. Alles, was der Dichter uns geben kann, ist seine Individualität. Diese muß es also wert sein, vor Welt und Nachwelt ausgestellt zu werden. Diese seine Individualität so sehr als möglich zu veredeln, zur reinsten herrlichsten Menschheit hinaufzuläutern, ist sein erstes und wichtigstes Geschäft, ehe er es unternehmen darf, die Vortrefflichen zu rühren."

Der Dichter darf sich nicht dem Volk oder der Masse „gleichmachen", sondern muß ebenfalls „zu dem Volke bildend herniedersteigen", um es schließlich zu sich „hinaufzuziehen". Die klassische Dichtung ist nicht für die Masse, sondern für den kleinen Leserkreis konzipiert. Dennoch hat Schiller sich vorübergehend auch mit Stoffen und Formen der zeitgenössischen Trivialliteratur auseinandergesetzt.

Schillers Studium der Geschichte und sein Versuch, einen größeren Leserkreis zu erreichen.   Durch Goethes Vermittlung wurde Schiller zwar als außerordentlicher Professor der Philosophie und Geschichte in Jena angestellt, wo er am 26. 5. 1789 seine erste öffentliche Vorlesung hielt, aber bei karger Besoldung entging Schiller nicht schweren finanziellen Sorgen, die ihn zur Überanstrengung nötigten und schon im Jahre 1791 aufs Krankenlager warfen. Eine Schenkung des Herzogs Friedrich Christian von Augustenburg und des Grafen Schimmelmann (für 3 Jahre je 1000 Taler) entriß ihn zwar der drückendsten Bedrängnis, dennoch ist es nur zu verständlich, daß er sich nach Möglichkeiten eines finanziellen 'Zubrotes' umsah: „Ich muß von Schriftstellerei leben, also auf das sehen, was einträgt." Schiller hoffte, daß Publikationen auf dem Feld der Geschichte sich als einträglicher erweisen würden als die schöngeistige Literatur. In einem Brief an seinen Freund Körner schreibt er: „Die Geschichte ist ein Feld, wo alle meine Kräfte ins Spiel kommen und wo ich doch nicht immer aus mir selbst schöpfen muß. Bedenke dieses, so wirst du mir zugeben müssen, daß kein Fach so gut dazu taugt, meine ökonomische Schriftstellerei darauf zu gründen sowie auch eine gewisse Art von Reputation; denn es gibt auch einen ökonomischen Ruhm." Neben den historischen Abhandlungen wie z. B. der ‚Geschichte des Abfalls der Vereinigten Niederlande‘ (1788) und der ‚Geschichte des Dreißigjährigen Kriegs‘ (1791/92) wählte Schiller darum auch Stoffe und Formen der zeitgenössischen Trivialliteratur, um den Erwartungen des Publikums weitgehend entgegenzukommen, so etwa in dem Romanfragment ‚Der Geisterseher‘ (1789), von dem er sich selbst als „Schmiererei" zu distanzieren versuchte, oder im ‚Verbrecher aus verlorener Ehre‘ (1786). Beide Arbeiten waren ausgesprochen publikumswirksam, da er in beiden Fällen an beliebte triviale Erzählmuster des späten 18. Jahrhunderts anknüpfte. Aber er versuchte zugleich, die vorgegebenen literarischen Muster zu transformieren.

Schillers Erzählung ‚Verbrecher aus verlorener Ehre‘ orientiert sich zwar an den zahllosen historischen und fiktiven Räubergeschichten des 18. Jahrhunderts; aber Schiller konzentriert sich in der Auswahl des Erzählten eben wie seine Vorläufer und Nachfolger auf abenteuerliche Handlungen, schaurige Taten, dramatische Verfolgung und Ergreifung der Verbrecher. Von der zum Zwecke der Abschreckung sonst breit ausgemalten Gerichtsverhandlung oder der schauerlichen Bestrafung findet sich nichts als ein kurzer Hinweis, daß der 'Held' der Geschichte „durch des Henkers Hand starb". Statt dessen konzentriert sich das Interesse des Erzählers ganz darauf, „in der unveränderlichen Struktur der menschlichen Seele und in den veränderlichen Bedingungen, welche sie von außen bestimmen, die Wahrheit" zu suchen. Nicht das „Seltsame und Abenteuerliche einer solchen Erscheinung" wie der Christian Wolfs, des Verbrechers aus verlorener Ehre, sollen den Leser „reizen", vielmehr soll ihm durch die „Leichenöffnung seiner Laster" der Sinn für „Menschlichkeit und Gerechtigkeit" eröffnet werden. Der Erzähler beschränkt sich nicht darauf, die „Neugier zu begnügen". Indem er den Leser in die sozialen und psychischen Zwänge Christian Wolfs Einblick nehmen läßt und nicht nur Wolf seine „Handlungen vollbringen, sondern auch Wollen sehen" läßt, transformiert er die Räubergeschichte in eine „Schule der Bildung". Er läßt den Leser selbst über Christian Wolf zu Gericht sitzen, lenkt aber dessen Urteil durch die Weise des Erzählens dahin, daß dieser den „sanften Geist der Duldung" in sich entwikkele, „ohne welchen kein Flüchtling zurückkehrt, keine Aussöhnung des Gesetzes mit seinem Beleidiger stattfindet, kein angestecktes Glied der Gesellschaft von dem gänzlichen Brande gerettet wird".

Das bürgerliche Rührstück. Erst wenn man die Klassik auch als Versuch der Distanzierung von der zeitgenössischen Trivialliteratur versteht und in ihr auch den Versuch sieht, die Belletristik einer konstruktiven Kritik zu unterziehen, vermeidet man den Fehler, die Literatur zu Ende des 18. Jahrhunderts ausschließlich von der Dichtung Goethes, Schillers, Kleists, Jean Pauls oder Hölderlins bestimmt zu sehen. Erst so werden auch die tatsächlichen Proportionen des literarischen Marktes sichtbar.

Von Goethes ‚Werken' druckte der Verleger Göschen beispielsweise 1787–1790 eine Ausgabe von 2000 und eine billige Ausgabe von 3000 Exemplaren. Verkauft wurden sie nur langsam. Die ganze Reihe fand gerade 602 Subskribenten, und nach zwei Jahren waren 536 weitere Exemplare der ersten vier Bände verkauft, neben etwa je zwei- bis dreihundert Exemplaren der Einzelausgabe der Dramen. Aber nicht nur die Statistiken über Auflagenhöhe und Buchverkauf belegen das mangelnde oder geringe Interesse, das das Publikum den Weimarern entgegenbrachte. Ein Blick auf die Aufführungszahl der bedeutenden deutschen Bühnen bestätigt das Beobachtete:

Das Mannheimer Theater, das erste deutsche Nationaltheater von Bedeutung, an dem Schiller einige Zeit gewirkt hatte, spielte in den 27 Jahren zwischen 1781 und 1808 z. B. 37 Stücke Ifflands an 476 Abenden und 115 Stücke Kotzebues an 1728 Abenden. In derselben Zeit wurden Schillers Schauspiel ‚Die Räuber' nur fünfzehnmal, ‚Die Verschwörung des Fiesko zu Genua' und ‚Don Carlos' nur dreimal, ‚Kabale und Liebe' nur siebenmal aufgeführt. In Dresden kamen zwischen 1789 und 1813 von insgesamt 1471 Aufführungen 477 auf Iffland und Kotzebue, ganze 58 auf Goethe, Schiller und Lessing zusammen. Weimar, dessen Theaterführung von 1791 bis 1817 in den Händen Goethes lag, unterscheidet sich in seiner Stückauswahl nicht sonderlich von den anderen deutschen Bühnen. Es ist symptomatisch, daß Goethe es 1791 nicht mit einem eigenen Stück, sondern mit Ifflands Drama ‚Die Jäger' eröffnete. Erst mit Schillers ‚Wallensteins Lager' ändert sich die Praxis minimal. Schiller steuerte pro Jahr ein Drama bei, und gelegentlich wurde versucht, die französischen Klassiker oder Shakespeare auf die Bühne zu bringen.

Die deutsche Bühne eroberten vornehmlich bürgerliche Rührstücke von Kotzebue, Iffland und Gemmingen. Sie wurden beinahe seriell hergestellt. Kotzebue verfaßte allein über 200 Dramen.

Das bürgerliche Trauerspiel hatte sich im 18. Jahrhundert u. a. aus der empfindsamen Komödie entwickelt, nun näherte es sich zum Ausgang des Jahrhunderts erneut der Form der Komödie. Das Happy-End ist in fast allen Stücken obligatorisch, das tragische Moment wird meist sentimentalisiert. Die sozialkritische Tendenz, Kennzeichen des bürgerlichen Trauerspiels der Sturm-und-Drang-Zeit, fehlt, oder ihm ist zumindest die kritische Spitze abgebrochen. Im bürgerlichen Familiengemälde sieht sich der Theaterbesucher eher selbst repräsentiert. Mit einer Spur von Selbstgefälligkeit richtet er sich in der theatralischen Illusion wiedererlangten häuslichen Glücks nach krisenhaften Erfahrungen oder Geschehnissen ein und gefällt sich im Lobpreis seiner bürgerlichen Tugenden. Nur selten sieht sich der Kleinstädter auf der Bühne so karikiert wie in Kotzebues gleichnamigem, gelungenem Lustspiel ‚Die deutschen Kleinstädter' (1803), aber auch in diesem Stück ist die Bösartigkeit gemildert zu eher harmlosem Spott.

Das bürgerliche, triviale Rührstück kommt dem Bedürfnis nach Selbstbestätigung des Theaterbesuchers entgegen, und die handwerkliche Versiertheit der Stückeschreiber, die, wie z. B. Iffland aufgrund seiner Tätigkeit als Schauspieler und Theaterleiter, aufs engste mit dem Medium des Theaters vertraut waren, erfüllte voll und ganz das Verlangen nach Unterhaltung. Aus der handwerklichen Geschicklichkeit, mit der die Schauspiele verfertigt wurden, resultierte die bis zum Überdruß praktizierte Schematisierung. Um dennoch der Gefahr der so erzeugten mangelnden Abwechslung und der Langeweile zu entgehen, schmückte z. B. Kotzebue einige seiner Stücke mit einem exotischen, das Publikum aufreizenden Kolorit. Iffland brachte farbenprächtige Dekoration, Kostüme und Massenszenen auf die Bühne. Dieser Inszenierungsstil setzte sich in direkten Gegensatz zu dem von Goethe intendierten Weimarer Stil, der auf statuarische Deklamation, durch Gesten nur minimal unterstrichenes Spiel und die strenge Stilisierung durch die Versform Wert legte.

Der literarische Markt.   Die Trivialisierung, die sich im Theaterbetrieb zum Ende des 18. Jahrhunderts bemerkbar machte, fand ihre Entsprechung auf dem Buchmarkt. Hier nahm die Anzahl der Almanache und der darin enthaltenen, meist epigonal-empfindsamen Lyrik schlagartig zu. Die Romanproduktion verzeichnete einen bis dahin unbekannten Aufschwung. Die Ursachen der explosionsartigen Ausdehnung des literarischen Marktes im letzten Drittel des 18. Jahrhunderts und der damit einhergehenden Zweiteilung der Literatur in Dichtung und Unterhaltungsliteratur liegen in der sprunghaft zunehmenden Alphabetisierung weiter bürgerlicher Schichten. Neuere Schätzungen nehmen für 1770 höchstens 15%, um 1800 schon 25% der Bevölkerung über sechs Jahre als potentielle Leser an. Entsprechend vergrößerte sich das Bedürfnis nach neuen Lesestoffen, vor allem auch deshalb, weil die zur Verfügung stehende Freizeit, zumindest für bestimmte gesellschaftliche Kreise, wuchs, das bürgerliche Familienleben sich entfaltete und an die Stelle des intensiven Lesens eine extensive Lesehaltung trat, die nach immer wieder neuen Lesestoffen Ausschau hielt, statt ein Werk wiederholt zu lesen. Das wachsende Bedürfnis nach Lesestoffen bedingte eine Vergrößerung der Produktion. „Bei keiner Nation" – so urteilt der Schweizer Buchhändler und Schriftsteller Johann Georg Heinzmann – „ist das Bücherschreiben so zur Handarbeit und zum Nahrungszweig geworden, als es in Deutschland geschehen ist." Kant durchschaut den Prozeß zwischen steigender Produktion und Konsumtion, wenn er in seiner Schrift ‚Über die Buchmacherei‘ schreibt:

„Die Buchmacherei ist kein unbedeutender Erwerbszweig in einem der Kultur nach schon weit vorgeschrittenen gemeinen Wesen: wo die Leserei zum beinahe unentbehrlichen allgemeinen Bedürfnis geworden ist. – Dieser Teil der Industrie in einem Lande aber gewinnt dadurch ungemein, wenn jene fabrikenmäßig betrieben wird; welches aber nicht anders, als durch einen den Geschmack des Publikums und die Geschicklichkeit jedes dabei anzustellenden Fabrikanten zu beurteilen und zu bezahlen vermögenden Verleger geschehen kann. – Dieser bedarf aber zur Belebung seiner Verlagshandlung eben nicht den inneren Gehalt und Wert der von ihm verlegten Ware in Betrachtung zu ziehen; wohl aber den Markt, worauf, und die Liebhaberei des Tages, wozu die allenfalls ephemerischen Produkte der Buchdruckerpresse in lebhaften Umlauf gebracht, und, wenngleich nicht dauerhaften, doch geschwinden Abgang finden können."

So wuchs die Zahl der Schriftsteller, die durch neue Vertragsbedingungen und die Eindämmung des Raub- und Nachdrucks besser an der Schriftstellerei verdienen konnten als noch einige Jahrzehnte zuvor, von 1771 (etwa über 3000) bis 1776 auf 4300; 1784 zählte man 5200, 1791 dann 7000 und um die Jahrhundertwende schließlich 10 000 Schriftsteller. Wer als freier Schriftsteller unter diesen Marktbedingungen sein Brot verdienen wollte, konnte sich nicht auf literarische Experimente einlassen, sondern mußte sich der literarischen Mode beugen – dem, was der Publikumsgeschmack ihm abverlangte. Am höchsten im Kurs stand im letzten Drittel des 18. Jahrhunderts der Roman. Er war an die Stelle des theologisch-erbaulichen Schrifttums getreten und steigerte seinen Anteil am Gesamtbüchermarkt von 4% im Jahre 1770 auf 11% und damit 75% der belletristischen Literatur. Was an Romanen dem lesehungrigen Bürger zum Kauf angeboten wurde oder in den Leihbibliotheken, die im Gegensatz zu den meist aus Privatinitiative hervorgehenden Lesegesellschaften nach rein kommerziellen Gesichtspunkten eingerichtet waren, zur Ausleihe bereitstand, darüber gibt eine – sicherlich um die Pointe willen überspitzte – Anekdote von Kleist Auskunft:

‚Klassische Leihbibliothek‘
„Wir wünschen ein paar gute Bücher zu haben" – Hier steht die Sammlung zu Befehl – „Etwa von Wieland" – Ich zweifle fast – „Oder von Schiller, Goethe" – Die mögten hier schwerlich zu finden sein – „Wie? Sind alle diese Bücher vergriffen? Wird hier so stark gelesen?" – Das eben nicht – „Wer liest denn hier eigentlich am meisten?" – Juristen, Kaufleute und verheiratete Damen. – „Und die

unverheirateten?" – Sie dürfen keine fordern. – „Und die Studenten?" – Wir haben Befehl, ihnen keine zu geben. – „Aber sagen Sie uns, wenn so wenig gelesen wird, wo in aller Welt sind denn die Schriften Wielands, Goethes, Schillers?" – Halten zu Gnaden, diese Schriften werden hier gar nicht gelesen. – „Also Sie haben sie gar nicht in der Bibliothek?" – Wir dürfen nicht. – „Was stehn denn also eigentlich für Bücher hier an diesen Wänden?" – Rittergeschichten, lauter Rittergeschichten, rechts die Rittergeschichten mit Gespenstern, links ohne Gespenster, nach Belieben. – „So so." – –

Der Trivialroman bot dem Publikum 'nach Belieben' Familien-, Ritter-, Schauer-, Geister-, Bundes- und Räuberromane oder deren raffinierte Mischung, die alle Genres vermengte (s. z. B. Christian August *Vulpius* [Goethes Schwager]: ‚Rinaldo Rinaldini der Räuberhauptmann', 1798). Die Versatzstücke lagen bereit und wurden je nach Bedarf zu einer Handlung verbunden: illegitime, geheimnisvolle, scheinbar unstandesgemäße Abkunft des Helden; seine Erziehung in einer ihm unangemessenen Umgebung, in der sich gleichwohl seine wahre Bestimmung erahnen läßt; Familienhaß und Erbstreitigkeiten; die moralische Bedrohung der Heldin durch den Gegenspieler und die damit gebotene Rettungsmöglichkeit durch den Helden, Verfolgung, Vergewaltigung, Befreiung und Flucht, Trennung und Wiederfinden. Die Herkunft der einzelnen Versatzstücke aus dem galanten Abenteuerroman und aus dem moralisch-didaktischen Roman der Aufklärung ist unübersehbar. Die häufige Verlagerung der Geschichte ins Mittelalter dient lediglich der Verkleidung, mit der man der englischen 'gothic novel', dem Gespensterroman, folgt. Der Trivialroman, getarnt durch einen noch immer hochgehaltenen erzieherisch-aufklärerischen Anspruch, kam wie die Trivialdramatik primär dem Unterhaltungsbedürfnis des Lesers entgegen und bot ihm, was ihm die Aufklärung genommen hatte: die Lust an der Angst und die Konfrontation mit dem Irrationalen und Unheimlichen. Der Roman der Romantiker konnte hier wieder anknüpfen.

2.4 Der Dichter und der Weimarer Hof – Goethes ‚Torquato Tasso'

Goethes Verbindung zum Weimarer Hof bedeutete für ihn, daß er nicht wie viele der Trivialliteraturautoren auf die Schriftstellerei als einzige Quelle ihres Lebensunterhaltes angewiesen war. Sein Eintritt in die Weimarer Hofgesellschaft löste demnach auch keinen Rückfall in eine neue Phase poetischer Lobrednerei aus, vielmehr bewahrte Goethe jene der Poesie hinzugewonnene bürgerliche Dimension. Zwar entstanden in den Weimarer Jahren Auftragsarbeiten wie Maskenzüge, Gelegenheitsgedichte, Singspiele u. a., aber gleichzeitig bildete die Poesie einen Raum, in dem er ganz private Gedanken und Gefühle aussprechen konnte. Gerade dieses problematische Verhältnis von Privatheit und Öffentlichkeit der Poesie thematisierte er in seinem in Weimar begonnenen Drama ‚Torquato Tasso' (erschienen 1790), das wie ‚Egmont' und ‚Iphigenie' erst in Italien seine endgültige Gestalt fand.

Im historischen Gewande des Renaissancedichters Tasso am Hofe von Ferrara gestaltete er das Verhältnis zwischen dem bürgerlichen Schriftsteller und dem aristokratischen Kreise. Die feine, kultivierte Hofgesellschaft fordert vom Dichter Maß und entsagende Begrenzung, aber so berechtigt auch diese Forderungen sind, sie setzen die Hofgesellschaft nicht ganz ins Recht. Auch das Schöpfertum des Dichters hat sein Recht, es geht nicht voll in der von der Hofgesellschaft geforderten höfisch-repräsentativen Dichtung auf, die nur nach Erheiterung, Verschönerung und Glorifizierung ihrer selbst trachtet. Das Dilemma Tassos ist nicht aufhebbar: Er ist auf die Hofgesellschaft angewiesen, und doch erfährt er gerade hier seine Einsamkeit, wie Goethe selbst erfahren mußte, daß sein Dichtertum unter den höfischen Aufgaben litt. Die bürgerlich-moderne, vom Individuum getragene und an den einzelnen gerichtete Dichtung steht in einem schroffen Gegensatz zur repräsentativ-höfisch-feudalen Kunstform.

Das Drama ist – charakteristisch für die Dramatik der Klassik – handlungsarm, was die Kritik der Zeit Goethe anlastete. Der italienische Dichter Torquato Tasso hat sein Epos ‚Das befreite Jerusalem' beendet und es dem Fürsten Alfons von Ferrara, seinem Mäzen, überreicht, an dessen Hof er lebt. Der Herzog läßt ihm dafür durch seine Schwester Leonore den Lorbeerkranz aufs Haupt setzen. Antonio, Minister des Herzogs, tritt hinzu. Er ist gerade aus Rom von schwierigen, aber erfolgreichen Staatsgeschäften zurückgekehrt. Er mokiert sich über den leicht erworbenen Sieg Tassos und zeiht ihn der Kühnheit, sich Vergil oder Ariost gleichzustellen. Im Überschwang seines Glücks bietet Tasso Antonio die Freundschaft an, da die Prinzessin es wünscht. Der Versuch jedoch mißlingt. Der bedächtige und reservierte Antonio weicht vor Tasso zurück. Durch die Abweisung aufs neue gekränkt, läßt Tasso sich dazu hinreißen, gegen Antonio den Degen zu ziehen. Der gerade hinzutretende Fürst schlichtet den Streit, tadelt Antonio und bestraft Tasso milde mit einem Zimmerarrest. Tasso führt der Arrest zu Ausbrüchen des Mißtrauens. Er glaubt in allem nur die „ganze Kunst des höfischen Gewebes" zu sehen, glaubt sich von allen verraten und verlassen, vor allem von der Prinzessin, die ihm jedoch nach wie vor wohl gesonnen ist. Leonore Sanvitale versucht schließlich eine Vermittlung herbeizuführen. Antonio findet sich bereit, mit Tasso Frieden zu schließen. Tasso fordert als Zeichen seiner Aufrichtigkeit, daß er ihm beim Fürsten die Erlaubnis erwirke, Ferrara verlassen zu dürfen. Mit Widerstreben gewährt es Alfons, weil er glaubt, daß die krankhafte Stimmung nicht anders geheilt werden könne. Beim Abschied von der Prinzessin überwältigt Tasso erneut sein Gefühl; statt Abschied zu nehmen, macht er ihr ein Liebesgeständnis und will sie in stürmischer Umarmung an sich reißen. Die sofortige Abreise des Fürsten, der Prinzessin und der Gräfin ist die Folge, und Tasso wirft sich Antonio als rettendem Felsen im Schiffbruch seines Lebens in die Arme.

Sich auf eine Äußerung J. J. Ampères beziehend, ‚Tasso' sei ein „gestei-
gerter Werther", berichtete Goethe über die Entstehung ‚Tassos' im
Gespräch mit Eckermann am 3. Mai 1827:

> „Wie richtig hat er [Ampère] bemerkt, daß ich in den zehn Jahren meines weima-
> rischen Dienst- und Hoflebens so gut wie gar nichts gemacht, daß die Verzweif-
> lung mich nach Italien getrieben, und daß ich dort, mit neuer Lust zum Schaffen,
> die Geschichte des Tasso ergriffen, um mich in Behandlung dieses angemessenen
> Stoffes von demjenigen frei zu machen, was mir noch immer aus meinen weimari-
> schen Eindrücken und Erinnerungen Schmerzliches und Lästiges anklebte."

Wieder einmal – wie beim ‚Werther' – hatte demnach Goethes „altes
Hausmittel" angeschlagen, Lebenskrisen durch deren Objektivation im
dichterischen Werk zu überwinden. Aber trotz Goethes Aussage, daß
der ‚Tasso' aus dem „Innersten [seiner] Natur" entsprungen sei, wäre es
doch falsch, im Lustschloß Belriguardo nur den Weimarer Hof, in den
handelnden Figuren des Stückes nur die historisch maskierten Freunde
Goethes aus Weimar zu sehen (Herzog = Karl August; Prinzessin =
Frau von Stein usw.). Caroline Herder übermittelte in einem Brief an
ihren Mann das Stichwort, mit dem Goethe selbst den „eigentlichen
Sinn" seines Schauspiels bezeichnete: „Es ist die Disproportion des
Talents mit dem Leben", das im dramatischen Prozeß zur Anschauung
kommt. Der bis zum Ende des Dramas nicht gelöste Konflikt resultiert
aus der Widersprüchlichkeit, in die sich das poetische Genie angesichts
der es bedrängenden höfischen Gesellschaft und deren Erwartungen
gesetzt sieht. Dabei ist es nicht so, daß Goethe undialektisch verführe
und eine Seite, etwa das sich autonom dünkende poetische Subjekt, ins
Recht, die Gesellschaft, die den Poeten in seine Schranken weist und
von ihm eine Poesie erwartet, die er nicht mehr zu geben bereit ist, ins
Unrecht setzen würde. Beide Seiten bedingen sich gegenseitig, sind aufeinander angewiesen. Nur aus jener von Tasso tief und schmerzlich
empfundenen Disproportion zwischen seinem Streben nach Unbedingtheit und dem Sich-verwiesen-Sehen auf die Unzulänglichkeiten des
Wirklichen entsteht die Poesie als Ausdruck der Sehnsucht nach letzter
Harmonie. Die schöpferische Kraft entspringt aus dem ungestillten Verlangen, „die goldne Zeit, die [Tasso] von außen mangelt, in seinem
Innern wiederherzustellen". So sieht sich Tasso ganz auf sich selbst
gestellt, er ist der Einzelgänger, der sich von der Gesellschaft absetzt. Er
ist einsam, und aus dieser Einsamkeit entstehen sein Argwohn, sein
Mißtrauen, schließlich sein Wahn. Er bedarf immer des Regulativs
durch die Wirklichkeit. Scheiternd an ihr in seinem zweimaligen Versuch, sich ihr zu verbinden, indem er Antonio als Freund, die Prinzessin als Geliebte zu gewinnen sucht, sieht er sich zuletzt doch auf sie als
seine Rettung angewiesen. Das besagen die letzten Zeilen des Dramas, in denen Tasso dem gewandten und erfolgreichen Weltmann

Antonio gegenüber seine tragische Existenz als Dichter in einem Bild
beschreibt:

> „Ich kenne mich in der Gefahr nicht mehr
> Und schäme mich nicht mehr, es zu bekennen.
> Zerbrochen ist das Steuer, und es kracht
> Das Schiff an allen Seiten. Berstend reißt
> Der Boden unter meinen Füßen auf!
> Ich fasse dich mit beiden Armen an!
> So klammert sich der Schiffer endlich noch
> Am Felsen fest, an dem er scheitern sollte." (V, 5.)

Aber aus diesem Scheitern gewinnt Tasso die poetische Energie:

> „Und wenn der Mensch in seiner Qual verstummt,
> Gab mir ein Gott, zu sagen, wie ich leide." (Ebd.)

Der Schwebezustand zwischen Wirklichkeitsflucht und Wirklichkeits-
gier, die Klage darüber, daß die Natur aus Tasso und Antonio „nicht
einen Mann [...] formte", und schließlich das Unbehagen und Unver-
mögen, sich dem zu beugen, was sich ziemt, also der gesellschaftlichen
Konvention, statt dem zu folgen, „was gefällt", all das sind für Tasso
Antriebe zur Poesie. In ihr schafft er sich ein Reich, in dem er frei sein
kann:

> „Frei will ich sein im Denken und im Dichten;
> Im Handeln schränkt die Welt genug uns ein." (IV, 2.)

Genau diese Einschränkung im Handeln und die Bändigung seiner poetischen Einbildungskraft waren es aber, die Goethe bewogen hatten,
nach Weimar zu gehen.

3 Begrenzung

3.1 Goethes Tätigkeit als Minister und Naturwissenschaftler

Johann Wolfgang von Goethe:
Die Metamorphose der Pflanzen (1790)
Dem Menschen wie den Tieren ist ein Zwischenknochen der obern
Kinnlade zuzuschreiben (1784)
Über den Granit (1784)   Zur Farbenlehre (1810)

Während Klopstock am dänischen Hof durch das Mäzenat Friedrichs V.
von weiteren Pflichten frei war und sein Epos ‚Der Messias‘ vollenden
konnte, suchte Goethe am Weimarer Hof ganz andere Aufgaben.
Goethe war willens, sich diesen Aufgaben voll hinzugeben, wie aus
einem Brief vom 22. Januar 1776 an seinen Freund Merck hervorgeht:
„Ich bin nun ganz in alle Hof- und politischen Händel verwickelt und
werde fast nicht mehr wieder weg können. Meine Lage ist vorteilhaft
genug, und die Herzogtümer Weimar und Eisenach sind immerhin ein
Schauplatz, um zu versuchen, wie einem die Weltrolle zu Gesicht
stünde." Zu seinem Aufgabenbereich gehörte die Führung des erst
18jährigen Herzogs und die Mitverantwortung für das Land. Nacheinan-
der und zum Teil nebeneinander verwaltete er die Finanzen, den Berg-
und Wegebau und das Militärwesen als Mitglied des 'Conseils' des Herzogs.
Nur kleinere dramatische Arbeiten konnten vollendet werden, so ‚Die
Geschwister‘, ‚Die Mitschuldigen‘ (zweite Fassung) und ‚Der Triumph
der Empfindsamkeit‘ (entstanden 1776–78, gedruckt 1787). Auch der
'Urmeister' (‚Wilhelm Meisters theatralische Sendung‘, begonnen 1777,
herausgegeben 1911) blieb Fragment.
So wie die literarische Produktivität stagnierte, mußte Goethe auch in
seinem pragmatisch-politischen Handeln Mißerfolge verzeichnen. Zwar
durfte er sich als Erfolg zuschreiben, aus dem zunächst draufgängeri-
schen Fürsten Karl August einen besonnenen Herrscher gebildet zu
haben (s. Goethes Gedicht: ‚Ilmenau‘, 1783, wo es, bezogen auf den
Herzog, heißt: „Du kennst lang' die Pflichten deines Standes/Und
schränktest nach und nach die freie Seele ein"), aber die Reformpläne
im Landwirtschaftswesen (Bodenreform, fiskalische Entlastung der
Bauern) scheiterten. Innerhalb des Conseils stieß er als Bürgerlicher auf
die Standesvorurteile der Aristokraten, die Karl August dadurch zu
überwinden versuchte, daß er ihn 1782 durch den Kaiser in den Adels-
stand erheben ließ. Schließlich verlief auch das Verhältnis zu der verhei-
rateten Charlotte von Stein entgegen der Erwartung Goethes. Er fühlte

sich hin- und hergerissen zwischen Hochachtung, Liebe und geschwister-
licher Zuneigung. So trifft sicherlich nur zu Hälfte jenes Bild zu, das
Goethe von sich in der Hymne ‚Seefahrt' (1776) zeichnet:

> Doch er stehet männlich an dem Steuer.
> Mit dem Schiffe spielen Wind und Wellen,
> Wind und Wellen nicht mit seinem Herzen.
> Herrschend blickt er auf die grimme Tiefe
> Und vertrauet, scheiternd oder landend,
> Seinen Göttern.

Solche Selbstgewißheit steht im Widerspruch zu einem Ekel über „das
durchaus Scheißige dieser zeitlichen Herrlichkeit" oder zu den Charlotte
von Stein übermittelten Beobachtungen am Hofe, wie beispielsweise in
einem Brief vom 19. Mai 1778:

„So viel kann ich sagen, je größer die Welt, desto garstiger wird die Farce, und
ich schwöre, keine Zote und Eselei der Hanswurstiaden ist so ekelhaft als das
Wesen der Großen, Mittlern und Kleinen durcheinander. Ich habe die Götter
gebeten, daß sie mir meinen Mut und Gradsein erhalten wollen bis ans Ende, und
lieber mögen das Ende vorrücken, als mich den letzten Teil des Ziels lausig
hinkriechen lassen."

Nicht erst der hektische Aufbruch nach Italien war eine Flucht aus der
bedrückenden Atmosphäre Weimars, die Goethe Frau von Stein gegenüber folgendermaßen begründete: „Wer sich mit der Administration
abgibt, ohne ein regierender Herr zu sein, der muß entweder ein Philister oder ein Schelm oder ein Narr sein." Die zehn Jahre seines ersten
Weimarer Aufenthalts waren erfüllt von kleinen Fluchtversuchen. So
entstand das Gedicht ‚Über allen Gipfeln / Ist Ruh' (1780) auf einer
Wanderung auf den Gickelhahn, die Goethe unternahm, „um dem
Wuste des Städtchens, den Klagen, dem Verlangen, der unverbesserli-
chen Verworrenheit der Menschen" für kurze Zeit auszuweichen. In den
wenigen Zeilen beschwört er die harmonische Eingliederung des Menschen in den Kosmos als zukünftiges Versprechen.
In Weimar trat an die Stelle der Naturbetrachtung im Sinne Rousseaus
eine wissenschaftliche Beobachtung. Verbunden mit seinen konkreten
beruflichen Verpflichtungen im Herzogtum und angespornt aus ernst-
hafter Liebhaberei, widmete Goethe sich in den 80er Jahren der Minera-
logie, der Botanik, der Anatomie und der Wetterkunde, der Geologie
und schließlich der Farbenlehre. 1784 gelang ihm sogar eine nicht unbe-
deutende anatomische Entdeckung des menschlichen Zwischenkiefer-
knochens. Die Erfahrungen, die Goethe so in seinem ersten Weimarer
Jahrzehnt durch seine politische Praxis, durch das Verhältnis zu Frau
von Stein und schließlich durch seine naturwissenschaftlichen Studien
machen mußte, spiegeln sich in der damals entstandenen Dichtung deutlich wider.

3.2 ‚Grenzen der Menschheit' – Goethes Hymnendichtung

Noch nicht ganz ein Jahr nach seiner Ankunft in Weimar legte Goethe
einem Brief an seinen Freund Lavater ein Gedicht unter dem Titel ‚Dem
Schicksal' (1776) bei, das er später in seine ‚Schriften' (1789) bezeich-
nenderweise unter dem Titel ‚Einschränkung' aufnahm. Der deutliche
Bezug auf die Weimarer Situation ist zwar nun gegenüber der ersten
Niederschrift des Gedichtes abgeschwächt, aber noch immer vorhanden:

> Ich weiß nicht, was mir hier gefällt,
> In dieser engen kleinen Welt
> Mit holdem Zauberband mich hält.

Einige Zeilen später wird das Schicksal, durch das Goethe sich in die
'kleine Welt' Weimars verschlagen sieht, um Hilfe angerufen, „das
rechte Maß" zu treffen. Einschränkung auf das rechte Maß, darum ging
es Goethe in Weimar. Im Rückblick erschien ihm der Sturm und Drang
als ein maßloses Gebaren, dem der Sinn für die dem Menschen notwendige Begrenzung fehlt, ‚Werther' war eine solche erste Abrechnung mit
dem Streben nach unbegrenzter, jegliche Konvention negierender
Unmittelbarkeit. Am deutlichsten wird jener Wandel, der sich allmählich in Goethes Dichtung vollzieht und sich dem klassischen Stil, der
Suche nach Ausgewogenheit nähert, in der Lyrik, die während der
ersten Weimarer Jahre entstand. Hier wiederum sind es vor allem die
Hymnen ‚Grenzen der Menschheit' (1781), ‚Gesang der Geister über den
Wassern' (1779), ‚Das Göttliche' (1783) und schließlich ‚Meine Göttin'
(1780), die sich deutlich von den Hymnen des Sturm und Drang (‚Wan-
derers Sturmlied', ‚Prometheus', ‚Ganymed') unterscheiden. Die
extreme Ichbezogenheit der frühen Hymnen, ihre Hermetik und die
Kühnheit der sprachlichen Fügung haben einem ruhigeren, distanzierte-
ren Ton Platz gemacht. Der Satzbau wird regelmäßiger, die für die
frühen Hymnen charakteristischen Wortzusammensetzungen fehlen, die
Gedichte sind strenger durchgliedert. Der freie Rhythmus erzwingt hier
ein langsam-feierliches, das bedeutungsvolle Einzelwort akzentuieren-
des Sprechen. An die Stelle des genialischen Anspruchs im ‚Prometheus' oder der alle Grenzen zwischen Ich und Kosmos auflösenden
pantheistischen Haltung im ‚Ganymed' ist eine distanziertere Sicht des
Menschen getreten. Während die frühen Hymnen die Grenzen zwischen
Gott und Mensch verwischen, kreisen die vier oben genannten Hymnen,
die zwischen 1779 und 1783 entstanden, um die „Grenzen der Menschheit" oder den fundamentalen Gegensatz zwischen dem Göttlichen
einerseits und dem menschlichen Los andererseits. Der Mensch ist zwar
in den Naturzusammenhang eingebunden, aber die pantheistische Ver-
göttlichung der Natur tritt ganz zurück:

[...] unfühlend
Ist die Natur:
Es leuchtet die Sonne
Über Bös' und Gute
Und dem Verbrecher
Glänzen wie dem Besten
Der Mond und die Sterne.

Der Mensch steht unter den „ewigen, ehrnen, großen Gesetzen" der Natur. Ihre Kausalität herrscht blind, sie verteilt Glück und Unglück wahllos unter den Menschen, so daß das menschliche Leben sinnlos zu sein scheint. Dennoch nimmt der Mensch innerhalb des Reiches der Natur eine Sonderstellung ein:

Nur allein der Mensch
Vermag das Unmögliche:
Er unterscheidet,
Wählet und richtet;
Er kann dem Augenblick
Dauer verleihen.

Er allein darf
Den Guten lohnen,
Den Bösen strafen,
Heilen und retten,
Alles Irrende, Schweifende
Nützlich verbinden.

Es sind die Fähigkeit zur kritischen Unterscheidung und zur prüfenden Abwägung sittlicher Werte und das daraus abgeleitete Richteramt gegenüber dem Mitmenschen, die den Menschen aus dem unentrinnbaren Bannkreis der gefühllosen Natur herausheben. Die sittliche Kraft im Menschen erhebt ihn, verleiht seinen Taten Dauer und läßt etwas von dem Göttlichen „ahnen". So beginnt das Gedicht ‚Das Göttliche' mit dem Appell

Edel sei der Mensch,
Hilfreich und gut!

In der Ausrichtung des Handelns an den sittlichen Werten gewinnt der Mensch die Ausnahmeposition unter „allen Wesen, die wir kennen". Sein Beispiel „lehrt, jene zu glauben". Indem er den Göttern zu gleichen versucht, ist er „ein Vorbild jener geahnten Wesen", die,

Als wären sie Menschen,
Täten im großen,
Was der Beste im kleinen
Tut oder möchte.

Der Unterschied zwischen dem Göttlichen und dem Menschlichen ist
damit nicht aufgehoben, aber er erscheint nun nicht mehr so kraß wie zu
Anfang. Ähnlich verläuft auch der Argumentationsprozeß innerhalb der
Hymne ‚Grenzen der Menschheit‘. Auch dort wird dem Menschen eine
Stellung zugewiesen, die es ihm allenfalls erlaubt, „den letzten Saum"
von Gottes „Kleide" zu küssen. Es wäre vermessen, wenn er sich erdrei-
sten würde, sich mit den Göttern zu messen, sie „mit dem Scheitel zu
berühren", denn

> Nirgends haften dann
> Die unsichern Sohlen,
> Und mit ihm spielen
> Wolken und Winde.

Würde er aber „mit markigen Knochen" allein „auf der wohlgegründe-
ten dauernden Erde" stehen, so könnte er sich nicht einmal mit der
Eiche oder Rebe vergleichen. Endliches und Unendliches kreuzen sich
somit im Menschen. Während vor den Göttern viele Wellen wie „ein
ewiger Strom" sind, hebt den Menschen „die Welle und verschlingt
[ihn], so daß [er] versinkt". Aber wenn auch das einzelne Individuum
dazu verurteilt ist, unterzugehen („Ein kleiner Ring begrenzt unser
Leben"), bilden doch die vielen Geschlechter zusammen eine „unendliche Kette". Es obliegt also dem einzelnen, in seinem begrenzten Dasein
„unermüdet das Nützliche und Rechte" zu schaffen.

3.3 Die Grenzen des 'dämonischen Charakters' – Goethes ‚Egmont‘

Die Erfahrung von Begrenzung und Gesetzmäßigkeit im Bereich der
Natur, denen sich auch das Individuum zu beugen hat, artikuliert sich
nicht nur in der Lyrik, sondern noch deutlicher im Drama. Goethes
‚Egmont‘ (1788), aber auch Schillers ‚Don Carlos‘ und ‚Wallenstein‘
formulieren in je unterschiedlicher Weise das Zerbrechen des einzelnen
Individuums an der es begrenzenden Wirklichkeit. Schiller und Goethe
fanden unabhängig voneinander zum Stoff der niederländischen Unab-
hängigkeitsbewegung, aber obwohl das historische Geschehen um die
Ablösung der Vereinigten Niederlande von der spanischen Regierung
die Stoffvorlage für ein politisches Tendenzstück hätte abgeben können,
vermieden beide die politische Akzentuierung in der dramatischen
Bearbeitung. Goethe richtet sein Interesse auf die Anfangsphase der
Bewegung und stellt mit Egmont eine aristokratische Gestalt in den
Mittelpunkt der Handlung. Schiller legt seinen Schauplatz nach Spa-
nien. Von der Niederländischen Revolution ist nur andeutungsweise die
Rede, der eigentliche Konflikt ereignet sich hier am spanischen Hofe.
Der antagonistische Konflikt in Goethes ‚Egmont‘ zwischen den ihre

alten Privilegien und Freiheiten einfordernden Niederländern und der spanischen Krone, die die „Kraft des niederländischen Volkes, [sein] Gemüt, den Begriff, den [es] von sich selbst hat, schwächen, niederdrücken, zerstören will, um es bequemer regieren zu können", wird nicht voll ausgespielt. Mit Egmont ist eine Zentralfigur in den Vordergrund des Stückes gestellt, die nicht die harte Auseinandersetzung, sondern den Kompromiß zwischen der Wiederherstellung der niederländischen Privilegien und den spanischen Ansprüchen auf absolute Herrschaft sucht.

Beim Armbrustschießen in Brüssel kommt das Gespräch der freiheitlich gesinnten Bürger immer wieder auf ihren Abgott Graf Egmont, den sie lieber als Regenten der Niederlande sehen würden als die vom spanischen König Philipp eingesetzte Margarete von Parma. Diese beschuldigt Egmont, an dem Unglück in Flandern schuldig zu sein, da er den ketzerischen Religionslehren, die sich im Lande auszubreiten beginnen, als erster Vorschub geleistet habe. So interpretiert Wilhelm von Oranien die Situation richtig, wenn er angesichts des mit einem Heer aus Spanien heranrückenden Herzogs Alba Egmont rät, mit ihm zusammen umgehend Brüssel zu verlassen. Doch Egmont schlägt sorglos Oraniens Rat aus, indem er sich auf seine vermeintliche Unantastbarkeit als Ritter des Goldenen Vlieses stützt. Alba hält kurz darauf mit seiner Soldateska Einzug in Brüssel. Die Soldaten verhindern jegliche Zusammenrottung der aufgebrachten Bürger, deren einziger Trost und einzige Hoffnung die Anwesenheit Egmonts in Brüssel ist. Indessen hat Alba bereits Anstalten getroffen, den ahnungslosen Egmont zu verhaften. Ein von Alba nur so lange hingezogenes Gespräch, bis ihm die Festnahme von Egmonts Geheimschreiber gemeldet wird, dient dazu, den völlig arglosen Egmont zu reizen und damit einen äußeren Grund zu seiner Festnahme zu haben. Egmont wird zum Tode verurteilt. In einem letzten Schlaf, unmittelbar vor seiner Hinrichtung, erscheinen ihm freundliche Traumbilder: Daß sein Tod den Provinzen die Freiheit verschaffen werde, verheißt ihm eine allegorische Erscheinung, die die Züge Klärchens trägt, seiner Geliebten aus bürgerlichem Hause, die mit Gift ihrem Leben ein Ende setzte, als sie von Egmonts Verhaftung hört und sehen muß, daß es unmöglich geworden ist, einen Volksaufruhr zu Egmonts Befreiung anzuzetteln.

Egmont ist keine 'Führerfigur' im Sinne der Sturm-und-Drang-Dramatik. Er findet zwar die Zuneigung des Volkes, aber ihm käme nie in den Sinn, sich an die Spitze der Bürgerschaft zu stellen, denn er ist letztlich eine zutiefst unpolitische Gestalt. Er ist jemand, „welcher durch sein ganzes Leben gleichsam wachend geträumt, Leben und Liebe mehr als geschätzt, oder, vielmehr nur durch den Genuß geschätzt". Egmont geht das politische Kalkül ab; er weist die Sorge von sich. Er ermangelt des für den Politiker unabdingbaren Blicks in die Zukunft, wie ihn Oranien hat. Statt dessen ist er ganz dem Augenblick hingegeben:

„Sind uns die kurzen bunten Lumpen zu mißgönnen, die ein jugendlicher Mut, eine angefrischte Phantasie um unsers Lebens arme Blöße hängen mag? Wenn ihr das Leben gar zu ernsthaft nehmt, was ist denn dran? Wenn uns der Morgen nicht zu neuen Freuden weckt, am Abend uns keine Lust zu hoffen übrig bleibt, ist's wohl des An- und Ausziehens wert? Scheint mir die Sonne heut, um das zu überlegen, was gestern war? und um zu raten, zu verbinden, was nicht zu erraten, nicht zu verbinden ist, das Schicksal eines kommenden Tages? [...] Wie von unsichtbaren Geistern gepeitscht, gehen die Sonnenpferde der Zeit mit unsers Schicksals Wagen durch; und uns bleibt nichts, als mutig gefaßt die Zügel festzuhalten, und bald rechts, bald links, vom Steine hier, vom Sturze da, die Räder wegzulenken. Wohin es geht, wer weiß es? Erinnert er sich doch kaum, woher er kam." (II. Egmonts Wohnung.)

Egmont setzt auf den „ganzen freien Wert des Lebens". Wenn Schiller in seiner Rezension des ‚Egmont' polemisch fragt, was dieser „eigentlich Großes tue", so verschiebt er zu Unrecht den Aspekt, denn Egmont ist nicht in seinem Handeln, sondern in seinem Sein groß. Und in seiner Individualität selbst liegt auch jener Grundwiderspruch, der ihn scheitern läßt. In Egmonts eigenen Worten: „Es glaubt der Mensch, sein Leben zu leiten, sich selbst zu führen; und sein Innerstes wird unwiderstehlich nach seinem Schicksal gezogen." Der „dämonische" Charakter – auf diesen Begriff wird Goethe später selbst seinen Egmont bringen – erfährt nur in sich selbst die Begrenzung. Das Dämonische verleiht ihm einerseits die 'attrattiva', jene Anziehungskraft, die sich so deutlich in der Zuneigung des Volkes, Klärchens, Oraniens, ja selbst der Königin zeigt (am Ende, kurz vor seiner Hinrichtung, vermag Egmont sogar den Sohn seines größten Widersachers, Alba, für sich einzunehmen). Andererseits verleiten Egmont aber gerade die „ungemeßne Lebenslust und das grenzenlose Zutrauen zu sich selbst", die ihm drohende Gefahr zu verkennen. Er ist „verblendet". Erst im Durchgang durch das Stadium der begrenzenden Sorge, im Angesicht des bevorstehenden Todes vermag er, sich seiner selbst wieder zu vergewissern, und erlangt so seine eigentliche Freiheit. Erst so kann er durch seinen Tod den Niederländern „ein Beispiel geben", und Klärchens Erscheinung im Traume kann als Allegorie der „göttlichen Freiheit", aber auch als Vor-Schein der politischen Freiheit gedeutet werden.

3.4 Der scheiternde Idealist – Schillers ‚Don Carlos'

Die Verschränkung von Privatem und Öffentlichem, die bei Goethes im ‚Egmont' entwickelten Freiheitsbegriff deutlich wird, ist auch typisch für Schillers Drama ‚Don Carlos' (1787). Schiller beginnt sich mit dem Stoff des ‚Don Carlos' zu befassen, kurz nachdem er sein zweites bürgerliches Trauerspiel, ‚Kabale und Liebe', beendet hat. Er betritt mit dem Stoff des ‚Don Carlos' neues Terrain, denn 'große Staatspersonen' werden zu dramatischen Figuren. Dem „politischen Stück", dem „kühneren Tableau", das er für ‚Don Carlos' entwirft, haften aber noch immer

Züge des „bürgerlichen Sujets" an, so daß Schiller sich selbst eingeste-
hen muß, sein Drama bilde „ein Familiengemälde im fürstlichen
Hause". Diese Widersprüchlichkeit – hier bürgerliches Sujet, dort großes historisches Stück – bedrängt die Einheitlichkeit der Konzeption des
‚Don Carlos', die um so mehr noch in Frage gestellt ist, als sich in einer
späteren Schaffensphase das Interesse Schillers auf die Figur des Posa
verlagert, vor der das Interesse an der Carlos-Gestalt in den Hintergrund tritt. Schiller selbst sucht in seiner Verteidigungsschrift über ‚Don
Carlos' (‚Briefe über Don Carlos', 1788) gegenüber den Kritikern, die
Anstoß an der mangelnden Einheit des ‚Don Carlos' nahmen, jenes
vereinheitlichende Moment des Dramas zu bestimmen und glaubt, es im
Humanitätsideal finden zu können. Dieses Ideal äußert sich vor allem in
dem zentralen Gespräch zwischen König und Marquis Posa. Hier entwirft Posa das visionäre Bild eines 'menschlichen Staates':

> „[...] Sanftere
> Jahrhunderte verdrängen Philipps Zeiten;
> Die bringen milde Weisheit; Bürgerglück
> Wird dann versöhnt mit Fürstengröße wandeln,
> Der karge Staat mit seinen Kindern geizen,
> Und die Notwendigkeit wird menschlich sein." (III, 10.)

Voraussetzung eines solchen Staatsgebildes, in dem die Menschheit wieder in ihre alten „geheiligten Rechte" eingesetzt ist, wäre die Gedankenfreiheit:

> „Ein Federzug von dieser Hand, und neu
> Erschaffen wird die Erde. Geben Sie
> Gedankenfreiheit." (Ebd.)

Nur wenn durch Freiheit der „Menschheit verlorner Adel" wiederhergestellt ist, wird der Bürger wieder,

> „was er zuvor gewesen,
> Der Krone Zweck – ihn binde keine Pflicht
> Als seiner Brüder gleich ehrwürd'ge Rechte". (Ebd.)

Im Gedanken an die Gründung eines solchen Staates überwindet Carlos
seine Liebe zur Königin, läßt sie in der Idee der Freisetzung eines Volkes ganz aufgehen. Im Humanitätsideal muß aber auch Posa seine
Freundschaft gegenüber Carlos bewähren, versagt jedoch, wenn er das,
was er als Idealist plant, in die Wirklichkeit umsetzen soll und dazu
Carlos als 'Werkzeug' gebraucht. Die Handlungsführung des ‚Don Carlos' findet demnach ihre Mitte in der Darstellung der Widersprüchlichkeit personaler Liebe und Freundschaft einerseits und der begrenzenden
politischen Notwendigkeit andererseits. Aus dieser Sicht erweist sich
auch die Figur des Königs als die eigentlich tragische Figur, muß er doch
in seiner Person selbst diesen unüberwindlichen Zwiespalt von königli-

cher Rolle und Mensch austragen. Schillers ‚Don Carlos' ist folglich kein Tendenzdrama im Sinne seiner Sturm-und-Drang-Dramen, denn es geht Schiller trotz anderslautender Beteuerungen weniger um die Propagierung seiner Idee der Gedankenfreiheit als darum, zu zeigen, wie die Ideen der Humanität, Freiheit und Liebe an der Notwendigkeit innerhalb des geschichtlichen Raumes scheitern und scheitern müssen. Das Scheitern als gesetzliche Notwendigkeit ist die tiefere 'poetische Wahrheit', die Schiller darstellen will und um derentwillen er gar die 'historische Wahrheit' hintansetzen muß. Nur der Zuschauer kann im ästhetischen Akt der Rezeption des Dramas Anteil an der Freiheit gewinnen, denn die im Theaterraum erzeugte Sympathie „verbrüdert, löst in ein Geschlecht auf, macht den Zuschauer seiner selbst und der Welt vergessen und nähert ihn dem himmlischen Ursprung" (s. Schillers Abhandlung ‚Die Schaubühne als eine moralische Anstalt betrachtet', 1785). Nur im Theater, in der abgezirkelten Sphäre der Kunst, nicht aber in der geschichtlichen Wirklichkeit, kann der Mensch 'Mensch' sein.

3.5 Die begrenzende Macht des 'Gemeinen' – Schillers ‚Wallenstein'

Was im ‚Don Carlos' an einer Nebenfigur, nämlich Posa, aufgezeigt wird, beherrscht in Schillers in den Jahren 1796–1799 entstandener Trilogie ‚Wallenstein' (Wallensteins Lager, Die Piccolomini, Wallensteins Tod) die Zentralfigur. Der Idealismus Wallensteins, sein Versuch, ein neues Reich zu gründen, scheitert an der gemeinen Realität. Bereits im ‚Prolog' des Dramas umreißt Schiller die der Hauptfigur innewohnende Dialektik, wenn es heißt:

> „Auf diesem finstern Zeitgrund malet sich
> Ein Unternehmen kühnen Übermuts
> Und ein verwegener Charakter ab.
> Ihr kennet ihn – den Schöpfer kühner Heere,
> Des Lagers Abgott und der Länder Geißel,
> Die Stütze und den Schrecken seines Kaisers,
> Des Glückes abenteuerlichen Sohn,
> Der, von der Zeiten Gunst emporgetragen,
> Der Ehre höchste Staffeln rasch erstieg
> Und, ungesättigt immer weiter strebend,
> Der unbezähmten Ehrsucht Opfer fiel.
> Von der Parteien Gunst und Haß verwirrt
> Schwankt sein Charakterbild in der Geschichte;
> Doch euren Augen soll ihn jetzt die Kunst,
> Auch eurem Herzen menschlich näher bringen.
> Denn jedes Äußerste führt sie, die alles
> Begrenzt und bindet, zur Natur zurück,

Sie sieht den Menschen in des Lebens Drang
Und wälzt die größre Hälfte seiner Schuld
Den unglückseligen Gestirnen zu."

Wallenstein will Frieden im Zeichen einer neuen Ordnung schaffen.
Octavio umschreibt Wallensteins Ziel:

„Nichts will er, als dem Reich den Frieden schenken;
Und weil der Kaiser diesen Frieden haßt,
So will er ihn – er will ihn dazu zwingen!
Zufriedenstellen will er alle Teile,
Und zum Ersatz für seine Mühe Böhmen,
Das er schon innehat, für sich behalten." (Die Piccolomini, V, 1.)

Aber wie in Wallenstein selbst sein Hang zur Freiheit und seine Machtgier eine unreine Mischung eingehen, kollidieren bei der Umsetzung
seiner Gedanken in die Wirklichkeit Freiheit und Notwendigkeit. Es
macht die tragische Ironie des Dramas aus, daß sich Wallenstein in
jenem Netz verfängt, das er selbst geknüpft hat. Zu Beginn des großen
Monologs in I, 4 (Wallensteins Tod) ahnt er etwas von der Eigendyna-
mik der Wirklichkeit, die sich seiner Bestimmung und Berechenbarkeit
entzieht:

„Wär's möglich? Könnt ich nicht mehr, wie ich wollte?
Nicht mehr zurück, wie mir's beliebt? Ich müßte
Die Tat vollbringen, weil ich sie gedacht,
Nicht die Versuchung von mir wies – das Herz
Genährt mit diesem Traum, auf ungewisse
Erfüllung hin die Mittel mir gespart,
Die Wege bloß mir offen hab gehalten?
[. . .]
Strafbar erschein ich, und ich kann die Schuld,
Wie ich's versuchen mag! nicht von mir wälzen;
Denn mich verklagt der Doppelsinn des Lebens,
Und – selbst der frommen Quelle reine Tat
Wird der Verdacht, schlimmdeutend, mir vergiften. [. . .]
[. . .] So hab ich
Mit eignem Netz verderblich mich umstrickt,
[. . .]
In meiner Brust war meine Tat noch mein;
Einmal entlassen aus dem sichern Winkel
Des Herzens, ihrem mütterlichen Boden,
Hinausgegeben in des Lebens Fremde,
Gehört sie jenen tück'schen Mächten an,
Die keines Menschen Kunst vertraulich macht."

Wallenstein scheitert am Gemeinen, sowohl am Gemeinen, an dem er
selbst aufgrund seiner Machtgier teilhat, als auch am Gemeinen der
Wirklichkeit, die sich ihm und seinen Plänen widersetzt:

„[. . .] Das ganz
Gemeine ist's, das ewig Gestrige,
Was immer war und immer wiederkehrt
Und morgen gilt, weil's heute hat gegolten!
Denn aus Gemeinem ist der Mensch gemacht," (Ebd.)

Die Wirklichkeit ist doppelsinnig und damit letztlich unberechenbar.
Nur Max Piccolomini und Thekla vermögen sich den Bestimmungen der
Wirklichkeit zu entziehen, denen alle anderen Gestalten unterliegen
und die ihre Pläne zerschlagen oder gar ins genaue Gegenteil umkehren,
indem sie den Tod als den einzig möglichen Ausweg wählen, um in ihm
die ungelebte und unlebbare Utopie zu retten und im Gedächtnis an
ihren Tod aufzubewahren.

In der Gestaltung des ‚Wallenstein' schlägt sich Schillers auch professio-
nell an der Universität Jena betriebene Beschäftigung mit der
Geschichte nieder. Wie Goethe das Studium der Natur, so ließ Schiller
das Studium der Geschichte darauf aufmerksam werden, welch enge
Grenzen dem einzelnen Individuum, selbst dem großen, gesetzt sind.
Schiller verbietet sich somit in der Trilogie den Idealismus, die Möglichkeit, „die er noch im ‚Carlos' nutzte, die fehlende Wahrheit durch
schöne Idealität zu ersetzen". Im ‚Wallenstein' – so gesteht er in einem
Brief an Wilhelm von Humboldt (21. 3. 1796) – will er es probieren,
„durch die bloße Wahrheit für die fehlende Idealität (die sentimentalische nämlich) zu entschädigen". Die Schwierigkeit steigert sich noch,
wenn man bedenkt, daß

„der eigentliche Realism den Erfolg nötig hat, den der idealistische Charakter
entbehren kann. Unglücklicher Weise aber hat Wallenstein den Erfolg gegen
sich, und nun erfodert es Geschicklichkeit, ihn auf der gehörigen Höhe zu erhalten. Seine Unternehmung ist moralisch schlecht, und sie verunglückt physisch. Er
ist im Einzelnen nie groß, und im Ganzen kommt er um seinen Zweck. Er
berechnet alles auf die Wirkung, und diese mißlingt. Er kann sich nicht, wie der
Idealist, in sich selbst einhüllen und sich über die Materie erheben, sondern er
will die Materie sich unterwerfen, und erreicht es nicht."

Diese Materie, deren Opfer Wallenstein wird, will Schiller anschaulich
machen: „Die Base, worauf Wallenstein seine Unternehmung gründet,
ist die Armee", wie Schiller in einem Brief an Körner (28. 9. 1796)
erwähnt, und nur so ist zu verstehen, warum er den ganzen ersten Teil
der Trilogie zu einer bislang für das Theater ungekannten realistischen
Schilderung von Wallensteins Lager nutzt. Die Macht, die er der Real-
geschichte beimißt, erzwingt von ihm, daß er durchgehend „die Handlung wie die Charaktere aus ihrer Zeit, ihrem Lokal und dem ganzen
Zusammenhang der Begebenheiten schöpft", so eine bislang unge-
kannte Farbigkeit erzielend.

Es bleibt jedoch die Frage, ob Schiller als Dramatiker im ‚Wallenstein'
ganz auf das verzichtete, was er noch als die Aufgabe des Universalhi-
storikers in seiner Jenaer Antrittsvorlesung ‚Was heißt und zu welchem
Ende studiert man Universalgeschichte?' umschrieben hatte:

„Aus der ganzen Summe [der geschichtlichen] Begebenheiten hebt der Universal-
historiker diejenigen heraus, welche auf die heutige Gestalt der Welt und den
Zustand der jetzt lebenden Generation einen wesentlichen, unwidersprechlichen
und leicht zu verfolgenden Einfluß gehabt haben. Das Verhältnis eines historischen Datums zu der heutigen Weltverfassung ist es also, worauf gesehen werden
muß, um Materialien für die Weltgeschichte zu sammeln. [. . .] Der Universal-
historiker rückt von der neuesten Weltlage aufwärts dem Ursprung der Dinge
entgegen."

Es läßt zumindest aufmerken, daß Napoleon eine Aufführung des ‚Wallenstein' durch das Théâtre français verbot, weil man ihn in dem 'Usur-
pator' hätte porträtiert finden können. Und eine weitere Parallele zwischen der Gegenwart Schillers und der Vergangenheit wird erkennbar,
wenn man bedenkt, daß sowohl der Dreißigjährige Krieg als auch die
Koalitionskriege zur Zeit Schillers ein Europa erschütterndes Phänomen
waren. Erst der Westfälische Friede stiftete 1648 eine neue Ordnung.
Die deutlichen Konturen eines vergleichbaren Ordnungsprinzips sah
Schiller für seine Zeit noch nicht. Ihm zeigte sich nur, wie durch die
Macht des Gemeinen die Idee der Französischen Revolution pervertiert
und Europa in die Krise geraten war.

4 Die Auseinandersetzung mit der Französischen Revolution

4.1 Das zwiespältige Verhalten der deutschen Intellektuellen

Mit Begeisterung, zumindest aber mit Wohlwollen beobachtete die geistige Elite Deutschlands zunächst die Ereignisse in Frankreich seit der Einberufung der Generalstände im Jahre 1788. *Herder* feierte den Sturm auf die Bastille als „Taufe der Menschheit" und „Fest des Bundes" zwischen Gott und seinem Volke, *Hölderlin* sprach angesichts der Revolution von einer „neuen Schöpfungsstunde". *Klopstock* pries in seinem Gedicht ‚Les états generaux' die Franken:

> Der kühne Reichstag Galliens dämmert schon;
> Der Morgenschauer dringt den Wartenden
> Durch Mark und Bein: o komm, du neue,
> Labende, selbst nicht geträumte Sonne!
> [...]
> Verzeiht, o Franken! (Name der Brüder ist
> Der edle Name), daß ich den Deutschen oft
> Zurufte, das zu fliehn, warum ich
> Ihnen jezt flehe, euch nachzuahmen.

Aber schon während der Auseinandersetzungen innerhalb der verfassunggebenden Nationalversammlung, spätestens aber nach den Greueln der Septembermorde und schließlich der Enthauptung Ludwigs XVI. kehrte sich die anfängliche Euphorie in Skepsis und Ablehnung um. Klopstock erinnerte in seiner gleichnamigen Ode die Franzosen an ihr 'Versprechen' (1795):

> Kein Eroberungskrieg! So scholl das heilige Wort einst,
> Das ihr uns gabt, verehrt, als nie verehrt ein Volk ward,
> Und (so deucht' es uns) Stimmen Unsterblicher wiederholten:
> Künftig nicht mehr Eroberungskrieg.
> Und jetzt führet ihr ihn, den allverderbenden, [...]

Wieland, der zunächst, hingerissen durch die französischen Ereignisse, beobachtete, wie dort eine „Nation auf einmal wie ein einzelner Mann aufstand, um für ihre neuerwählten Göttinnen, Freiheit und Gleichheit, zum Sieg oder in den Tod zu gehen", konstatierte schon recht bald, daß das französische Volk für eine freiheitliche Verfassung und für die Freiheit selbst „noch nicht reif" sei. Noch schroffer reagierte *Schiller* angesichts des Verlaufs der Französischen Revolution: „Ich kann seit 14 Tagen keine französische Zeitung mehr lesen, so ekeln diese elenden Schindersknechte mich an."

4.2 Der literarische Jakobinismus

> **Johann Georg Forster:** Reise um die Welt (1779/80)
> Ansichten vom Niederrhein (1791–94)
> **Adolf Freiherr von Knigge:** Benjamin Noldmanns Geschichte der
> Aufklärung in Abyssinien (1791)
> Josephs von Wurmbrand ... politisches Glaubensbekenntniß, mit
> Hinsicht auf die französische Revolution und deren Folgen (1792)
> **Johann Andreas G. Fr. Rebmann:** Kosmopolitische Wanderungen
> durch einen Theil Deutschlands (1793)

Während der größte Teil der literarischen Intelligenz in Deutschland
trotz anfänglicher Zustimmung also die Französische Revolution
ablehnte, blieb ein kleiner Teil von Schriftstellern auch nach den bluti-
gen Septembermorden, dem Sturz der Gironde und der Hinrichtung
Ludwigs XVI. den Idealen der Französischen Revolution verbunden.
Diese Gruppe revolutionärer Demokraten war der Ansicht, daß Freiheit
und Gleichheit nicht durch Reform, sondern allein durch eine vom Volk
getragene Revolution den feudalen Mächten abzuringen waren. Entsprechend schrieben sie auch der Literatur, entgegen den Klassikern,
die Funktion zu, das Volk revolutionsbereit zu machen.
Die Literatur der Jakobiner, wie diese Gruppe von Schriftstellern sich in
Anlehnung an die französischen Jakobiner selbst nannte oder von ihren
Gegnern so tituliert wurde, knüpfte sehr eng an das Konzept der aufklä-
rerischen Literatur des 18. Jahrhunderts an. Die Publikumsschicht, für
die sie schrieben, bildeten nach ihrer Aussage nicht mehr primär die
„jungen Kandidaten, angehenden Pastoren oder Studenten", das Publikum der Jakobiner bestand vielmehr „aus Friseuren, Kammerjungfern,
Bedienten, Kaufmannsdienern und dergleichen". Es galt, mit Hilfe der
Literatur in diesen Kreisen einen Prozeß politischer Selbstverständigung
in Gang zu setzen, Aufklärung zu betreiben, Mißstände anzuprangern,
zu agitieren, Handlungskonzepte zu entwerfen und schließlich darauf zu
dringen, das Gedachte und für richtig Befundene in die Praxis umzuset-
zen. Wollte man jedoch das Volk aufklären, in seinen legitimen Forderungen bestärken und zu Aktionen mobilisieren, mußte man es in einer
den Massen möglichst adäquaten Weise tun, d. h., die Intention der
deutschen Jakobiner, sich mit ihrer Literatur an das Volk zu wenden
und sich mit ihrer Literatur letztlich in den Dienst des Volkes zu stellen,
ließ sich nur dann realisieren, wenn man für die Literatur eine volksge-
mäße Sprache und Form fand. Die beabsichtigte Funktionalisierung und
Operationalisierung der Literatur erforderte somit zum einen die Wahl
solcher literarischer Genres, die dem Leser vertraut waren, zum andern

die Benutzung literarischer Muster und Stilmittel, die vorwiegend eine Appellfunktion ausübten oder sie unterstützten.

So erklärt sich die Vorliebe des literarischen Jakobinismus für die noch in der Tradition der Moralischen Wochenschriften stehende Zeitschrift, das Flugblatt, die politische Rede. Die traktatähnliche Abhandlung, durch die verkrustete Vorstellungen aufgebrochen und den Ideen der Menschenrechte, des Republikanismus, des Patriotismus und Kosmopolitismus der Weg geöffnet werden sollte, bediente sich der in aufklärerischer Tradition stehenden Form des fiktiven Gesprächs oder des im Volke bekannten, nun aber säkularisierten Katechismus. Während für die Klassiker wegen der außerästhetischen Zweckgebundenheit die Verwendung rhetorischer Mittel und der Gebrauch lehrhafter Dichtungsformen weitgehend verpönt waren, nutzten die Vertreter einer demokratisch-revolutionären Literatur Formen wie Fabel, Aphorismus, Satire oder den unterhaltend-belehrenden Kalender.

Was die Lyrik betraf, so sahen sich die Jakobiner vor große Schwierigkeiten gestellt, gab es doch innerhalb der deutschen Literatur fast keine Vorbilder politischer Lyrik mit Ausnahme einiger Gedichte Schubarts, Pfeffels oder Bürgers. Gerade aber die Lyrik war aufgrund ihrer Einprägsamkeit ein wichtiges Medium politischer Bewußtseinsbildung und Solidaritätsstimmung, wie die ‚Marseillaise‘ bewiesen hatte. So entstanden zunächst Nachdichtungen und Variationen der ‚Marseillaise‘, zu denen bald andere Kampf- und Agitationslieder kamen. Allen Liedern eignet ein hohes Maß an Sangbarkeit. In ihrer Form sind sie häufig Nachahmungen beliebter Vers- und Strophenformen; häufig wird auf bekannte Melodien von Kirchen- oder Trinkliedern zurückgegriffen. Eher auf die bildungsbürgerliche Lektüre als auf den Gebrauch bei Kampfhandlungen oder Festen (zum Beispiel beim Pflanzen sog. Freiheitsbäume) waren die odischen oder hymnischen Lobpreisungen von Freiheit, Gleichheit und Vernunft ausgerichtet. An diese Publikumsschicht wandten sich auch wohl primär die satirischen Romane Knigges und die Reisebeschreibungen von *Campe, Forster, Rebmann* und *Reichardt*.

Mit besonderem Enthusiasmus widmete man sich dem Schauspiel, versprach man sich doch vom Theater eine große Wirkung auf die Masse. „Eben diese Kunst, welche von der schlauen Despotie nur zu lange zum süßen Mohnsafte umgeschaffen war, unsre für große Dinge gewiß nicht unempfängliche Seelen in tatenlosen Schlummer einzuwiegen, sei das Gegengift für die von ihr selbst geschlagenen Wunden!" – so erläuterte Deyer die Theaterkonzeption der Jakobiner und fuhr fort:

„Eben diese Kunst, die sich zeither nur beschäftigte, uns das Glückliche und Süße des einzelnen Menschen in seinen häuslichen Verhältnissen in Bildern zu zeigen, die alle großen Ideen, die die Beispiele der Franzosen und der freien Völker aller Zeiten in uns entzündeten, ersticken und uns in dem Glücke des einzelnen die

Wohlfahrt des Ganzen vergessen machen sollte, eben diese Kunst [...] soll ins-
künftige, weit entfernt, uns stets die kleinlichen Bilder unsrer eignen Glückseligkeit zu zeigen, sich zum Ziele die Betreibung des allgemeinen Wohles machen.‟

Doch allein in Mainz konnte nach der Einrichtung einer Republik das
Theaterkonzept der Jakobiner in Form eines 'National-Bürgertheaters'
für kurze Zeit realisiert werden.
Die Jakobiner waren, was ihre schriftstellerische Arbeit betrifft, optimi-
stisch. „Die allgemeine Stimme des Volks ist es, die durch die Schriftsteller redet", so heißt es in Adolf Freiherr *Knigges* ‚Josephs von Wurm-
brand [...] politischem Glaubensbekenntniß, mit Hinsicht auf die Französische Revolution und deren Folgen' (1792):

> „Allein nicht nur ist keine Befugnis, es ist auch keine Möglichkeit da, die Aufklä-
> rung zurückzuhalten; und wenn sie nun einmal [...] ihre Fortschritte macht, so ist
> es die Pflicht derer, die über so wichtige Gegenstände reiflicher nachgedacht
> haben, ihren Mitbürgern den Leitfaden zu bessrer Anordnung ihrer Gedanken zu
> geben – das ist wahrer Schriftsteller-Beruf. Auf diese Weise kann der Gelehrte,
> wenn er das Bedürfnis seines Zeitalters richtig kennt, sehr nützlich werden.‟

Aber all dieser Optimismus, der aus diesem Zitat Knigges deutlich wird,
verbindet sich dennoch mit einem gehörigen Maß an Skepsis über den
Grad der literarischen Wirksamkeit auf die politische Praxis. So ist es
Ausdruck dieser Skepsis, daß viele der schriftstellernden Jakobiner
gleichzeitig aktiv in der Politik mitwirkten. Das berühmteste Beispiel:
Johann Georg *Forsters* Engagement innerhalb der Mainzer Republik.
Forster war konsequenter Anhänger der Französischen Revolution,
Abgeordneter der Mainzer Jakobiner in Paris und 1792/93 führendes
Mitglied des jakobinischen Mainzer Klubs. Er trat für den Anschluß des
linksrheinischen Deutschlands an Frankreich ein. Aufgrund seiner Akti-
vitäten wurde er vom Reich als Landesverräter geächtet.

Weimarer Klassik und literarischer Jakobinismus sind demnach zwei
unterschiedliche, extrem zueinander stehende Antworten auf die Herausforderung durch die in der Französischen Revolution aufgebroche-
nen Probleme. Die Jakobiner sahen sich auch selbst in einen solchen
Gegensatz zu den Klassikern gebracht. So polemisiert Friedrich Christian Laukhard direkt gegen das von Schiller in der ‚Horen'-Vorrede
entwickelte ästhetische Programm:

> Es ist „sehr irrig [zu] behaupten: Keine Regierung könne die Völker bürgerlich
> frei machen, bevor diese sich nicht selbst moralisch frei gemacht hätten. Dies ist
> wahrlich eben so viel, als wenn man behaupten wollte, man müsse keinem erlau-
> ben, eher gehen zu lernen, bis er tanzen gelernt hätte. [...] Auf eben diesem
> verkehrten [...] Wege finden wir auch den Herausgeber und die Verfasser der
> Horen.‟

Damit sind die unterschiedlichen, nicht miteinander zu vereinbarenden ideologischen Ausgangspositionen und die daraus abgeleiteten ästhetischen Verfahren in aller Klarheit benannt. Während sich die Partei der Jakobiner der Ansicht verschrieb, die revolutionäre bürgerliche Befreiung habe der moralischen Befreiung voranzugehen und die Poesie sei ganz in den Dienst dieses Befreiungsversuches zu stellen, vertrat die andere Partei die Auffassung, zuerst müsse auf dem Wege der Reform die moralische Befreiung erfolgen, um die bürgerliche herbeizuführen, und bei dieser moralischen Emanzipation habe die Poesie ihren Teil zu leisten. Die solchermaßen divergierenden Ansichten lassen verständlich werden, warum Goethe und Forster, als sie in Mainz zusammentrafen, sich nichts zu sagen hatten, obwohl *Forster,* berühmt durch seine ,Reise um die Welt' (1779/80) und die ,Ansichten vom Niederrhein (1791–94), ein nicht uninteressanter Gesprächspartner für Goethe gewesen wäre. Aber für Goethe, der mit dem Herzog Karl August am Rheinfeldzug teilnahm, gebot es der Takt, „von politischen Dingen" nicht zu reden, denn: „Man fühlte, daß man sich wechselseitig zu schonen habe, denn wenn er [Forster] republikanische Gesinnungen nicht ganz verleugnete, so eilte ich offenbar, mit einer Armee zu ziehen, die eben diesen Gesinnungen und ihrer Wirkung ein entschiedenes Ende machen sollte."

4.3 Goethes Auseinandersetzung mit der Französischen Revolution

> **Johann Wolfgang von Goethe:** Die Aufgeregten (1791/92)
> Der Bürgergeneral (1793)
> Unterhaltungen deutscher Ausgewanderten (1795)
> Hermann und Dorothea (1797)   Die natürliche Tochter (1804)

Goethes Teilnahme am Rheinfeldzug im Gefolge des Herzogs sollte jedoch nicht zu der Annahme verleiten, er sympathisiere eindeutig mit der konterrevolutionären Seite. Er selbst umschrieb seinen Standpunkt zusammenfassend anläßlich eines Gesprächs mit Eckermann (4. 1. 1824) folgendermaßen:

„Es ist wahr, ich konnte kein Freund der Französischen Revolution sein, denn ihre Greuel standen mir zu nahe und empörten mich täglich [. . .]. Ebensowenig aber war ich ein Freund herrischer Willkür. Auch war ich vollkommen überzeugt, daß irgendeine große Revolution nie Schuld des Volkes ist, sondern der Regierung. Revolutionen sind ganz unmöglich, sobald die Regierungen fortwährend gerecht und fortwährend wach sind, so daß sie ihnen durch zeitgemäße Verbesserungen entgegenkommen und sich nicht so lange sträuben, bis das Notwendige von unten her erzwungen wird. Weil ich nun aber die Revolutionen haßte, so

nannte man mich einen Freund des Bestehenden. Das ist aber ein sehr zweideuti-
ger Titel, den ich mir verbitten möchte. Wenn das Bestehende alles vortrefflich,
gut und gerecht wäre, so hätte ich gar nichts dawider. Da aber neben vielem
Guten zugleich viel Schlechtes, Ungerechtes und Unvollkommenes besteht, so
heißt ein Freund des Bestehenden oft nicht viel weniger als ein Freund des
Veralteten und Schlechten."

Die Ursachen für die Französische Revolution waren Goethe nicht verborgen geblieben. Auch seine Amtstätigkeit in Weimar hatte ihm hierzu
genügend Anschauungsmaterial geboten. In einem Brief an Knebel (13.
4. 1782) berichtet er:

„So steig ich durch alle Stände aufwärts, sehe den Bauersmann der Erde das
Notdürftige abfordern, das doch auch ein behäglich Auskommen wäre, wenn er
nur für sich schwitzte. Du weißt aber, wenn die Blattläuse auf den Rosenzweigen
sitzen und sich hübsch dick und grün gezogen haben, dann kommen die Ameisen
und saugen ihnen den filtrierten Saft aus den Leibern. Und so gehts weiter, und
wir habens so weit gebracht, daß oben immer in einem Tage mehr verzehrt wird,
als unten in einem beigebracht [. . .] werden kann."

4.3.1 Ausgleich statt Revolution – Goethes Revolutionskomödien
Goethe weiß, wie seine Gräfin in dem Drama ‚Die Aufgeregten‘ (1791/
92), daß „das Volk wohl zu drücken, aber nicht zu unterdrücken ist und
daß die revolutionären Aufstände der unteren Klassen eine Folge der
Ungerechtigkeiten der Großen sind". Seine Ablehnung der Französischen Revolution resultierte demnach nicht aus einer uneingeschränkten
Bejahung des Ancien régime, sondern aus der Verstörung, die er angesichts „des garstigen Gespenstes, das man Genius der Zeit nennt" (so in
einem Brief an Johann Heinrich Meyer, 17. 7. 1794), empfand. Nicht
nur, daß er „den Thron gestürzt und zersplittert, eine große Nation aus
ihren Fugen gerückt und [. . .] die Welt schon aus ihren Fugen" sah
(s. ‚Campagne in Frankreich‘, 1792, 1822); was ihn vor allem bedrängte,
war die Angst vor dem „revolutionären Pöbel". In den ‚Maximen und
Reflexionen‘ (ab 1809) bemerkt er:

„Nichts ist widerwärtiger als die Majorität; denn sie besteht aus wenigen kräftigen
Vorgängern, aus Schelmen, die sich akkommodieren, aus Schwachen, die sich
assimilieren, und der Masse, die nachtrollt, ohne nur im mindesten zu wissen, was
sie will."

Vor solchen Schelmen wollte Goethe warnen und davor, daß „man
voreilig in Deutschland künstlicherweise ähnliche Szenen herbeizuführen trachtete, die in Frankreich Folge einer großen Notwendigkeit
waren". Im ‚Bürgergeneral‘ (1793) zeichnet er in der Hauptfigur des
Schnaps, in dem unvollendet gebliebenen Stück ‚Die Aufgeregten‘
(1792) in der Figur des Barbiers Breme, der den Kopf voller revolutionärer Phrasen hat, zwei verlachenswürdige Gestalten, die aus egoisti-

schen Motiven oder aus purer Phantasterei heraus die Revolution von
Frankreich nach Deutschland verpflanzen wollen. Sowohl im ‚Bürgergeneral‘ als auch in den ‚Aufgeregten‘ sind es letztlich die Einsichtigen aus
den Reihen des Adels, die den heraufbeschworenen Konflikt einzudäm-
men verstehen.

Goethe mußte jedoch erkennen, daß mit der Lustspielform das Sujet
nicht adäquat zu bewältigen war. Aus dem Mißgriff in der literarischen
Form lernend, plante er eine Tragödie über das ‚Mädchen von Ober-
kirch‘, das lieber sterben als sich dem Kult der Göttin der Vernunft
beugen will. Aber Goethe konzipierte nur wenige Szenen dieses Stük-
kes. Gleichfalls scheiterte der Plan zur dramatischen Trilogie ‚Die natürliche Tochter‘ (1804), in der er sich nach eigener Aussage ein letztes
„Gefäß" bereiten wollte, darin er alles, was er „so manches Jahr über
die Französische Revolution und deren Folgen geschrieben und gedacht,
mit geziemendem Ernst niederzulegen" hoffte. Nur der erste Teil der
Trilogie konnte vollendet werden.

4.3.2 Diskurs statt Dissens – Goethes ‚Hermann und Dorothea‘ und die ‚Unterhaltungen deutscher Ausgewanderten‘

In Goethes in den Jahren 1796/97 entstandenem Epos in neun Gesän-
gen, ‚Hermann und Dorothea‘, werden die Ordnung verbürgenden Verhältnisse der bürgerlichen Familie der Französischen Revolution und
ihren Wirren entgegengesetzt. Angeregt durch Voß' Epos ‚Luise‘ (1795)
und durch dessen Übersetzung der Homerischen Epen ‚Odyssee‘ (1781)
und ‚Ilias‘, läßt sich in den 90er Jahren ein verstärktes Interesse bei
Goethe am Versepos, der höchsten literarischen Gattung auch noch
nach der Beurteilung der Ästhetiker des 18. Jahrhunderts, feststellen.
Die Französische Revolution brachte Goethe das ‚Reineke‘-Epos (1794)
näher: „Hier", so schrieb er an Charlotte von Kalb am 28. 6. 1794,
„kommt Reineke Fuchs, der Schelm, und verspricht sich eine gute Aufnahme. Da dieses Geschlecht auch zu unsern Zeiten bei Höfen, besonders aber in Republiken sehr angesehen und unentbehrlich ist, so
möchte nichts billiger sein, als seine Ahnherrn recht kennen zu lernen."
Und auch in ‚Hermann und Dorothea‘ bildet die Französische Revolution den Hintergrund des Geschehens, obwohl Goethes Vorlage eine
erbauliche Anekdote aus der Emigrationsgeschichte von den aus dem
Erzbistum Salzburg vertriebenen Lutheranern bildete. Goethe legt das
Geschehen jedoch in einen kleinen, überschaubaren rechtsrheinischen
Ort.

Hermann, Sohn des wohlhabenden Wirtes, lernt die zu einer Gruppe von Flücht-
lingen gehörende Dorothea kennen, als er den auf der Flucht befindlichen linksrheinischen Deutschen unterwegs Geschenke überbringen will. Wieder zu Hause
angekommen, gerät er mit seinem Vater, der sich gerade zusammen mit der
Mutter, dem Pfarrer und dem Apotheker über die wirren Zeitläufe unterhält, in

Streit, weil sich der Vater eine reiche Schwiegertochter ins Haus wünscht. Hermann gesteht seine plötzlich entbrannte Liebe zu der armen Dorothea. Man kommt überein, daß der Pfarrer und der Apotheker sich nach dem Leumund des Mädchens erkundigen sollen. Beide bringen in Erfahrung, daß Dorothea sich bei einem Überfall französischer Truppen vorbildlich und heldenhaft verhalten hat. Hermann führt darauf Dorothea, die durch den ungeschickt formulierten Antrag Hermanns glaubt, als Magd gedungen worden zu sein, in sein Elternhaus. Nachdem der Pfarrer das Mißverständnis aufgeklärt hat, steht einer Heirat zwischen Hermann und Dorothea nichts mehr im Wege.

Der Gefährdung und der Unordnung der Verhältnisse, die die Französische Revolution mit sich brachte, setzt Goethe ein Bild der Ordnung entgegen. Die Unruhe der Zeit ist in der Ruhe des Homer angenäherten Erzählflusses aufgehoben, der sich liebevoll den Einzelheiten widmet. Den gewaltsamen Veränderungen setzt Goethe Bilder und Szenen entgegen, in denen sich durch die Stilisierung zum Typischen ‘überzeitliche' Verhältnisse und ‘Ursituationen' des menschlichen Lebens wie Familie, Liebe, Generationsabfolge usw. präsentieren sollen. Heinrich Meyer gegenüber legte Goethe seine Absichten dar: „Ich habe das reine Menschliche der Existenz einer kleinen deutschen Stadt in dem epischen Tiegel von den Schlacken abzuscheiden gesucht, und zugleich die großen Bewegungen und Veränderungen des Welttheaters aus einem kleinen Spiegel zurück zu werfen getrachtet." Im bürgerlichen Idyll wird das „Deutsche des Stoffes idealisiert" und mit dem „Homerischen der Form" in eins gesetzt, wie Schiller Goethes poetische Verfahrensweise beschreibt. So gelingt es, daß der Leser – wie A. W. Schlegel treffend feststellt – „überall zu einer milden, freien, von nationaler und politischer Parteilichkeit gereinigten Ansicht der menschlichen Angelegenheiten erhoben" wird. In ‚Hermann und Dorothea' entwirft Goethe ein Modell,

„wie intellektuelles, moralisches und politisches Fortschreiten mit Zufriedenheit und Ruhe, wie dasjenige, wonach die Menschheit als nach einem allgemeinen Zweck streben soll, mit der natürlichen Individualität eines jeden, wie das Betragen einzelner mit dem Strom der Zeit und der Ereignisse vereinbar ist, daß beides zu höherer allgemeiner Vollkommenheit zusammenwirkt. [...]"

So urteilt 1799 der Goethe zu dieser Zeit sehr eng verbundene Wilhelm von Humboldt.
Man würde jedoch die Zerbrechlichkeit des von dem Liebespaar am Ende des Epos erreichten Glückszustandes verkennen, wollte man nicht sehen, daß Goethe keineswegs seinem Vorgänger Voß in der Zeichnung einer gemächlichen, durch nichts erschütterten bürgerlichen Idylle folgt. Beharren und Veränderung sind die beiden Pole, zwischen denen sich ‚Hermann und Dorothea' bewegt. Hermanns Eltern haben sich angesichts der Trümmer verlobt, in welche ein großer Brand die Stadt gelegt

hat; Dorotheas erster Verlobter kam bei den Ereignissen in Paris um; Dorothea selbst befindet sich auf der Flucht, das kleine Städtchen selber ist, wenn auch nicht unmittelbar, von den heranziehenden französischen Heeren bedroht. Auf solchem unsicheren Hintergrund entwickelt sich das Geschehen in ‚Hermann und Dorothea‘. Die „stillere Wohnung“ – in die Goethe seinen Leser führen will –, „wo sich, nah der Natur, menschlich der Mensch noch erzieht“, ist umgeben vom Tosen der Zeit. Im Epos siegt nur für einen Augenblick der „Mut in dem gesunden Geschlecht“, wie Goethe es in seinem Einleitungsgedicht ‚Hermann und Dorothea‘ ausspricht; aber dieser Sieg ist – das machen die „traurigen Bilder der Zeit“, die in die Idylle eingezeichnet sind, deutlich – jederzeit bedroht.

Wie Goethe in der idealtypisch gezeichneten Liebe zwischen Hermann und Dorothea ein Gegenbild zu den chaotischen Zuständen zeichnet, „wo alles sich regt, als wollte die Welt, die gestaltete, rückwärts lösen in Chaos und Nacht sich auf und neu sich gestalten“, entwirft er auch in den *‚Unterhaltungen deutscher Ausgewanderten‘* (1795) eine Form des humanen Überstehens der unsicheren Zeit. Die Rahmenhandlung dieses Erzählwerks, das zuerst in Schillers ‚Horen‘ erschien, berichtet von einer Gruppe deutscher Flüchtlinge, die ihre Besitzungen aus Furcht vor den heranrückenden Kriegsereignissen verlassen haben. Politische Gegensätze und Streitigkeiten brechen innerhalb dieser Gruppe aus, ihre Geselligkeit ist gefährdet. Durch das Erzählen von Geschichten soll die verlorene Harmonie wiederhergestellt werden. „Lassen Sie uns wenigstens an der Form sehen, daß wir in guter Gesellschaft sind“, so fordert die Baronin die sie begleitenden Personen auf. Die Erzählungen schließen folglich das öffentlich-politische Sujet aus, denn alle „Unterhaltung über das Interesse des Tages“ wird von der Baronin strikt verboten, um eine „gesellige Schonung auszuüben“. Zunächst werden einfache, durch eine „interessante einzelne Begebenheit“ ausgezeichnete Gespenster- und Liebesgeschichten erzählt. Es folgen „moralische“ Erzählungen, schließlich als letzte Geschichte das *‚Märchen‘*. Aber, ob Anekdote, Erzählung, Novelle oder Märchen, es geht weniger um die moralische Belehrung durch die Geschichten als um die künstlerische Form, in der sie erzählt werden. Die ästhetische Formung und der sich am Kunstwerk bildende Geschmack sind zugleich Einübung in die ‘gute Gesellschaft’, Überwindung des Chaos, wie die Geschichten veranschaulichen, daß „außer der Neigung noch etwas in uns ist, das ihr das Gleichgewicht halten kann, daß wir fähig sind, jedem gewohnten Gut zu entsagen und selbst unsere heißesten Wünsche von uns zu entfernen“.

4.4 Schillers Auseinandersetzung mit der Französischen Revolution

> **Friedrich Schiller:** Über die ästhetische Erziehung des Menschen in einer Reihe von Briefen (1795)
> Maria Stuart (1800)   Die Jungfrau von Orleans (1801)
> Die Braut von Messina oder die feindlichen Brüder (1803)
> Wilhelm Tell (1804)   Demetrius (1804)

In dem großen Rechenschaftsbericht an den Herzog Friedrich von Augustenburg am 13. Juli 1793 – einer Vorstufe zu der 1795 erschienenen Abhandlung ‚*Über die ästhetische Erziehung des Menschen in einer Reihe von Briefen*' – bezog Schiller Stellung zu den „großen Ereignissen der Zeit", die ihn zunächst mit einiger Hoffnung erfüllt hatten, dann jedoch aufs tiefste enttäuschten:

„Wäre das Faktum wahr – wäre der außerordentliche Fall wirklich eingetreten, daß die politische Gesetzgebung der Vernunft übertragen, der Mensch als Selbstzweck respektiert und behandelt, das Gesetz auf den Thron gehoben, und wahre Freiheit zur Grundlage des Staatsgebäudes gemacht worden, so wollte ich auf ewig von den Musen Abschied nehmen, und dem herrlichsten aller Kunstwerke, der Monarchie der Vernunft, alle Tätigkeit widmen. Aber dieses Faktum ist es eben, was ich zu bezweifeln wage. Ja, ich bin soweit entfernt, an den Anfang einer Regeneration im Politischen zu glauben, daß mir die Ereignisse der Zeit vielmehr alle Hoffnungen dazu auf Jahrhunderte benehmen."

Die hier artikulierte Enttäuschung resultiert für Schiller aus der Beobachtung, daß die Idee der Französischen Revolution sich nicht in die Wirklichkeit hatte umsetzen lassen. Der Verlauf der Ereignisse hatte ihn darüber belehrt, daß sich die ursprünglich angestrebte Einrichtung einer Republik als eines auf Vernunft gegründeten Staates nicht hatte verwirklichen lassen. Er sah die Perversion der Zweck-Mittel-Relation bestätigt, die er bereits im ‚Don Carlos' anhand der Figur Posas angedeutet hatte. Er verurteilte, daß zu viele den Weg zu einem „Ideal politischer Glückseligkeit" durch alle Greuel der Anarchie verfolgten: „Wie viele gibt es nicht, die [...] keine Bedenken tragen, die gegenwärtige Generation dem Elende preiszugeben, um das Glück der nächstfolgenden dadurch zu befestigen. Die scheinbare Uneigennützigkeit gewisser Tugenden gibt ihnen einen Anstrich von Reinigkeit, der sie dreist genug macht, der Pflicht ins Angesicht zu trotzen, und manchem spielt seine Phantasie den seltsamen Betrug, daß er über die Moralität hoch hinaus und vernünftiger als die Vernunft sein will." Damit – so meint Schiller – korrumpiere die Französische Revolution ihre eigenen Ideale, mache den Menschen zum puren Objekt von Willkürhandlungen und erreiche damit gerade jene Fortdauer und Verfestigung der Entfremdung, woraus sie den Menschen erlösen wolle. Schiller sieht angesichts der 'Ereignisse der Zeit', daß der Mensch noch nicht reif für seine politische und bürgerliche Freiheit ist. Die gesellschaftliche Revolution, wie sie in Frankreich versucht wurde, revolutioniert nicht den einzelnen Menschen, vielmehr ist es der einzelne Mensch, der seinen Charakter zuerst veredeln muß, damit auch die Gesellschaft sich revolutioniert: „Politische und bürgerliche Freiheit bleibt immer und ewig das herrlichste aller Güter, das würdigste Ziel aller Anstrengungen und das große Zentrum aller Kultur; aber man wird diesen herrlichen Bau nur auf dem festen Grunde eines veredelten Charakters aufführen." Damit ist – Goethe vergleichbar – das Individuum der Gesellschaft vorgeordnet. Bereits 1788 hatte Schiller an Karoline von Beulwitz geschrieben, er glaube, „daß jede einzelne ihre Kraft entwickelnde Menschenseele mehr [sei] als die größte Menschengesellschaft, wenn [man] diese als ein Ganzes betrachte. Der größte Staat ist ein Menschenwerk, der Mensch ist ein Werk der unerreichbaren großen Natur. [...] Der Staat ist nur eine Wirkung der Menschenkraft, nur ein Gedankenwerk, aber der Mensch ist die Quelle der Kraft selbst und der Schöpfer des Gedankens."

4.4.1 Die Antizipation der Freiheit in der Kunst – Schillers ‚Über die ästhetische Erziehung des Menschen in einer Reihe von Briefen‘

Wenn der Staat oder die Gesellschaft zunächst unfähig sind, den Menschen zu veredeln, so ist genau hier die Aufgabe der Kunst zu suchen. Darum nimmt Schiller nicht „auf ewig von den Musen Abschied", denn er mißt der Kunst genau jene Kraft der Erneuerung zu, die das Politische seines Erachtens nicht leisten kann. Die ästhetische Erziehung schafft jenen notwendigen Unterbau, auf den sich die 'Monarchie der Vernunft' gründen kann. Der Kunst ist aufgegeben, die Entfremdung des Menschen aufzuheben. Als Ideal schweben Schiller die

„griechischen Staaten [vor], wo jedes Individuum eines unabhängigen Lebens genoß und, wenn es not tat, zum Ganzen werden konnte". An die Stelle der geschichtlich überlebten Polis ist jedoch ein „kunstreiches Uhrwerk" getreten, „wo aus der Zusammenstückelung unendlich vieler, aber lebloser Teile ein mechanisches Leben im Ganzen sich bildet. Auseinandergerissen wurden jetzt der Staat und die Kirche, die Gesetze und die Sitten; der Genuß wurde von der Arbeit, das Mittel vom Zweck, die Anstrengung von der Belohnung geschieden. Ewig nur an ein einzelnes kleines Bruchstück des Ganzen gefesselt, bildet sich der Mensch selbst nur als Bruchstück aus; ewig nur das eintönige Geräusch des Rades, das er umtreibt, im Ohre, entwickelt er nie die Harmonie seines Wesens, und anstatt die Menschheit in seiner Natur auszuprägen, wird er bloß zu einem Abdruck seines Geschäfts, seiner Wissenschaft. Aber selbst der karge fragmentarische Anteil, der die einzelnen Glieder noch an das Ganze knüpft, hängt nicht von den Formen ab, die sie sich selbsttätig geben (denn wie dürfte man ihrer Freiheit ein so künstliches und lichtscheues Uhrwerk vertrauen?), sondern wird ihnen mit skrupulöser Strenge durch ein Formular vorgeschrieben, in welchem man ihre freie Einsicht gebunden hält."

Die Kunst wendet sich folglich an den inneren Menschen, sucht ihn aus der gesellschaftlich bedingten Zerstückelung und Vereinseitigung seiner selbst herauszuführen, indem sie ihn wieder zu einem Ganzen bildet. Der Zivilisationsprozeß hat notwendigerweise mit sich gebracht, daß sich die einzelnen Kräfte und Vermögen des Menschen differenzierten und dadurch vervollkommneten, dies aber auf Kosten der menschlichen Totalität. So sieht Schiller z. B. im gegenwärtigen Zustand das völlige Auseinanderklaffen von Vernunft und Sinnlichkeit. Allein die Kunst vermag den Menschen etwas von seiner ursprünglichen und wiederzuerlangenden Totalität ahnen zu lassen. Durch die Versöhnung des Form- und Stofftriebes im ästhetischen Spieltrieb verspricht sich Schiller aber nicht nur die Gesundung des Individuums, sondern auch die Besserung der ganz von den Sinnen bestimmten „niedern und zahlreichern Klassen" wie der an „Erschlaffung" und „Depravation" leidenden Adelsgesellschaft. In der Kunst erlangt der Mensch in Form des Vor-Scheins seine verlorengegangene Freiheit zurück, denn die Kunst ist Freiheit in der Erscheinung. Die ästhetische Erziehung ist somit Mittel zur Veredelung des Charakters. In ihr lassen sich „Quellen eröffnen", die von dem Staat nicht abgeleitet sind und sich also bei allen Mängeln desselben „rein und lauter erhalten", so daß man sich von der ästhetischen Erziehung auch eine „politische Verbesserung" erhoffen könne. Die Kunst ist also auf ein politisches Ziel hin ausgerichtet. Um aber dieses politische Ziel zu erreichen, muß die Kunst – wie es in der Ankündigung der ‚Horen' heißt – „dem beschränkten Interesse der Gegenwart" entgegentreten und sich auf das, „was rein menschlich und über allen Einfluß der Zeit erhaben ist", konzentrieren:

„Wir [die Künstler] wollen dem Leibe nach Bürger unserer Zeit sein und bleiben, weil es nicht anders sein kann; sonst aber und dem Geiste nach ist es das Vorrecht und die Pflicht des Philosophen wie des Dichters, zu keinem Volk und zu keiner Zeit zu gehören, sondern im eigentlichen Sinne des Wortes Zeitgenosse aller Zeiten zu sein."

Die hier geforderte Autonomie der Dichtung ergibt sich aus der Überlegung, daß jede Einmischung der Poesie in die Händel der Zeit, daß jede direkte und einseitige Parteinahme für die Interessen der Gegenwart notwendigerweise eine erneute Indienstnahme der Poesie für übergeordnete Zwecke bedeuten würde, die Poesie also mithin ihre Freiheit verspielen würde. Nur durch die Autonomie der Dichtung können die „eingeengten und unterjochten Gemüter wieder in Freiheit gesetzt werden", nur im zwecklosen, ästhetischen Spiel gewinnt der Mensch sich wieder:

„Um es endlich einmal herauszusagen", so heißt es im 15. Brief zur ästhetischen Erziehung, „der Mensch spielt nur, wo er in voller Bedeutung des Wortes Mensch ist, und er ist nur da ganz Mensch, wo er spielt."

4.4.2 Der Weg in die Freiheit – Schillers ‚Wilhelm Tell'

Den Menschen seine Freiheit ahnen lassen will nach Schillers Auffassung auch die Tragödie. Hier zeigt sich dem Zuschauer „Stirn gegen Stirn" das die Natur durchwaltende „böse Verhängnis". Mittels des ästhetischen Scheins wird er mit ihm konfrontiert, und diese „Bekanntschaft [. . .] ist Heil für uns".

„Zu dieser Bekanntschaft [. . .] verhilft uns das furchtbar herrliche Schauspiel der alles zerstörenden Veränderung [. . .] verhelfen uns die pathetischen Gemälde der mit dem Schicksal ringenden Menschheit, der unaufhaltsamen Flucht des Glücks, der betrogenen Sicherheit, der triumphierenden Ungerechtigkeit und der unterliegenden Unschuld, welche die Geschichte in reichem Maße aufstellt und die tragische Kunst nachahmend vor unsre Augen bringt. Denn wo wäre derjenige, der, bei einer nicht ganz verwahrlosten moralischen Anlage [. . .] bei solchen Szenen verweilen kann, ohne dem ernsten Gesetz der Notwendigkeit mit einem Schauer zu huldigen, seinen Begierden augenblicklich den Zügel anzuhalten und, ergriffen von dieser ewigen Untreue alles Sinnlichen, nach dem Beharrlichen in seinem Busen zu greifen? Die Fähigkeit, das Erhabene zu empfinden, ist also eine der herrlichsten Anlagen der Menschennatur, die sowohl wegen ihres Ursprungs aus dem selbständigen Denk- und Willensvermögen unsre Achtung, als wegen ihres Einflusses auf den moralischen Menschen die vollkommenste Entwickelung verdient. Das Schöne macht sich bloß verdient um den Menschen, das Erhabene um den reinen Dämon in ihm; und weil es einmal unsre Bestimmung ist, auch bei allen sinnlichen Schranken uns nach dem Gesetzbuch reiner Geister zu richten, so muß das Erhabene zu dem Schönen hinzukommen, um die ästhetische Erziehung zu einem vollständigen Ganzen zu machen und die Empfindungsfähigkeit des menschlichen Herzens nach dem ganzen Umfang unsrer Bestimmung, und also auch über die Sinnenwelt hinaus, zu erweitern."
(Schillers Abhandlung ‚Über das Erhabene', 1801.)

Schillers Theorie der Tragödie unterscheidet sich somit in einem wesentlichen Punkte von der Lessings. „Darstellung des Leidens – als bloßen Leidens – ist niemals Zweck der Kunst", so betont er im Gegensatz zu Lessing. Die Darstellung des Leidens ist ihm nur Mittel zum eigentlichen Zweck:

„Der letzte Zweck der Kunst ist die Darstellung des Übersinnlichen, und die tragische Kunst insbesondere bewerkstelligt dieses dadurch, daß sie uns die moralische Independenz von Naturgesetzen im Zustand des Affekts versinnlicht. Nur der Widerstand, den es gegen die Gewalt der Gefühle äußert, macht das freie Prinzip in uns kenntlich. [. . .] Das Sinnenwesen muß tief und heftig leiden; Pathos muß da sein, damit das Vernunftwesen seine Unabhängigkeit kundtun und sich handelnd darstellen könne."
(Schillers Abhandlung ‚Über das Pathetische', 1801.)

Eine solche Demonstration des „freien Prinzips in uns" sind Schillers Dramen ‚Maria Stuart' (1800), ‚Die Jungfrau von Orleans' (1801) und auch ‚Wilhelm Tell' (1804). Sie alle zielen letztlich auf die Kundgabe der „Unabhängigkeit des Vernunftwesens" ab, sei es in der Gestalt des historischen Dramas, der legendenhaft-romantischen Tragödie, sei es im 'Volksstück', als das ‚Wilhelm Tell' in gewissem Sinne gelten kann. Der Weg in die Freiheit entfaltet sich stets in einem triadischen Schritt, von Arkadien durch die Geschichte nach Elysium.

Schiller deutet im ‚Wilhelm Tell' die Befreiungsgeschichte der Schweiz als einen Übergang von der paradiesischen, naiven Idylle durch den Raum der Geschichte, wo Recht und Unrecht aufeinanderstoßen, zur erneuten Idylle, dem 'ästhetischen Staat'. Die Situation der ersten Szene (grüne Matten, Dörfer und Höfe im hellen Sonnenschein, Kuhreihen und harmonisches Geläut der Kuhglocken etc.) verweist auf die Idylle. Eine pastorale Szenerie wird ausgemalt, in der ein archaisch anmutendes, nach patriarchalischen Beziehungen sich vollziehendes Leben seinen Platz hat. Hier herrscht noch die „uralt fromme Sitte der Väter", angeborne Bande gelten, die „alte Sitte" hat „vom Ahn zum Enkel" unverändert fortbestanden. In diese archaisch-arkadische Welt bricht, angekündigt durch Sturm und Gewitter, das politische Geschehen ein. Mit Geßler ändern sich die unmittelbaren Beziehungen der Menschen untereinander, die Fremdherrschaft schafft Entfremdung, setzt an die Stelle konkret patriarchalischer Herrschaftsverhältnisse die abstrakte Macht, Gewalt und Institution. Als Antwort auf die neue geschichtliche Situation formieren sich die Schweizer in neuer Weise. Sie lösen sich vom alten Leben, bilden zusammen ein Kollektiv, wo sich der einzelne im Verzicht auf seine individuelle Verwirklichung dem Ganzen des Staates unterstellt („Bezähme jeder die gerechte Wut / Und spare für das Ganze seine Rache, / Denn Raub begeht am allgemeinen Gut, / Wer selbst sich hilft in seiner eignen Sache").

Als ein solcher Außenseiter führt sich aber zunächst Tell auf. Im Anblick der Zwingburg – der Bezug zur Bastille ist unverkennbar – ermahnt er Stauffacher, Geduld und Schweigen zu bewahren, da er in seiner Naivität noch darauf baut, daß die österreichische Herrschaft wie ein Naturvorgang wieder verschwinden werde. Darin täuscht er sich. Es gilt nicht länger, daß man „dem Friedlichen gern den Frieden" gewähre. Tell muß in der Apfelschußszene erkennen, daß die von ihm auch weiterhin gewollte rein private, nur auf sich selbst vertrauende Existenz mit der historischen Stunde unvereinbar geworden ist. In die Situation gesetzt, sein eigenes Leben und das seines Kindes dadurch zu retten, daß er das Leben des Kindes durch einen Meisterschuß riskiert, verliert Tell seine Naivität, er wird zur geschichtlichen Tat getrieben. Er beschließt, die Repräsentationsfigur österreichischer Fremdherrschaft, Geßler, zu ermorden. Vor dem Mord an Geßler erwägt er in einem

Monolog diese Tat. Bewußtsein tritt zu der Tell bislang eigenen Spontaneität des Handelns hinzu und zeigt damit jenes neue Stadium an, in das
Tell eingetreten ist. Umgekehrt lernen die Schweizer anhand der Apfelschußszene die spontane Tat („Die Stunde dringt, und rascher Tat
bedarf's – Der Tell ward schon ein Opfer eures Säumens"). Überall
fallen nun die Zwingburgen und Tyrannenschlösser, und „herrlich ist's
erfüllt", was auf dem Rütli beschworen wurde. Wie sich Tat und Reflexion auf beiden Seiten durchdringen, ergänzen sich nun das Tun des
einzelnen (Tell) und das Handeln aller, so daß am Ende die alte patriar-
chalische Herrschaftsform durch eine Gemeinschaft der Freien und
Gleichen ersetzt wird. Berta von Bruneck verzichtet auf ihre adligen
Vorrechte, Ulrich von Rudenz erklärt seine Knechte frei. In diesem
Versöhnungsakt ist Tells Mord aufgehoben, die Erhebung galt nur der
widernatürlichen Fremdherrschaft. Der Ausgleich der Stände vollzieht
sich aus der Einsicht der handelnden Figuren; auch hier also ein Gegenmodell zur Französischen Revolution.

4.5 Die Erziehung des Volkes – Hölderlins ‚Hyperion'

Friedrich Hölderlin: Hyperion (1797–99)
Der Tod des Empedokles (1798–1800)
Ältestes Systemprogramm des Deutschen Idealismus (1796)

In Hölderlins Drama ‚Der Tod des Empedokles' (1798–1800), das in
mehreren Fassungen vorliegt, lehnt die Titelgestalt, der griechische Philosoph aus Agrigent (483–424 v. Chr.), unmißverständlich die ihr ange-
tragene Königswürde ab:

„Dies ist die Zeit der Könige nicht mehr [. . .]
                    Euch ist nicht
Zu helfen, wenn ihr selber euch nicht helft [. . .]
So wagts! was ihr geerbt, was ihr erworben,
Was euch der Väter Mund erzählt, gelehrt,
Gesetz und Brauch, der alten Götter Namen,
Vergeßt es kühn [. . .]
[. . .] reicht die Hände
Euch wieder, gebt das Wort und teilt das Gut,
O dann ihr Lieben teilet Tat und Ruhm
Wie treue Dioskuren; jeder sei
Wie alle [. . .]" (Erste Fassung, II, 4.)

In dieser Rede des Empedokles lassen sich die Ideale der Französischen
Revolution: „Freiheit, Gleichheit und Brüderlichkeit", wiedererken-

nen; das politische Vermächtnis des Empedokles richtet sich nicht nur
an das Volk der Agrigentiner, sondern auch an die zeitgenössischen
Leser Hölderlins.

Aus Begeisterung für die Französische Revolution und ihre Ziele for-
mierte sich im Tübinger Stift ein politischer Klub, dem auch Hölderlin
angehörte. Hegel und Schelling – wie Hölderlin Anhänger der Jakobiner
– waren ihm ebenfalls beigetreten. Noch am 14. Juli 1793 pflanzten die
Stiftler am Jahrestag der Revolution einen Freiheitsbaum, aber bereits
einige Monate später schrieb Hölderlin an seinen Bruder einen Brief,
dem zu entnehmen ist, daß er die Verwirklichung der Revolutionsziele
in weite Ferne gerückt sieht:

„Meine Liebe ist das Menschengeschlecht [. . .] das Geschlecht der kommenden
Jahrhunderte [. . .] die Freiheit muß einmal kommen, und die Tugend wird besser
gedeihen in der Freiheit heiligem erwärmenden Lichte als unter der eiskalten
Zone des Despotismus. [. . .] Dies ist das heilige Ziel meiner Wünsche und meiner
Tätigkeit – dies, daß ich in unserm Zeitalter die Keime wecke, die in einem
künftigen reifen werden.“

Angesichts dieser auch hier noch nachklingenden Begeisterung für die
Ideen der Französischen Revolution ist es verständlich, daß Hölderlin
dem Rat seines Freundes Stäudlin folgte und in seinen ‚Hyperion'
(1797–99) „versteckte Stellen über den Geist der Zeit“ einschaltete. Zur
Taktik des Versteckens gehörte, daß er die Szenerie des Briefromans in
das zeitgenössische Griechenland legt, wo seit 1770 Griechen im Bündnis mit den Russen für ihre Befreiung von den Türken kämpfen.

Hyperion, Sohn eines reichen griechischen Kaufmanns, wird auf einer
der griechischen Inseln geboren. Hier wächst er auf und erlebt in der
Versenkung in die Natur „einen Zustand der höchsten Einfalt“. Nach
dem Verlust dieses idealen, ursprünglichen Harmoniezustandes versucht er, dieses einmal erfahrene Einssein „mit allem, was lebt“, zu
erneuern. Er fühlt sich herausgerissen aus der „Ruhe der Kindheit“.
Besinnung, Reflexion, Vernunft und Wissenschaft haben ihn zum
„Fremdling“ gegenüber der Natur werden lassen; er hat den ursprünglichen, paradiesischen „Garten der Natur [verlassen], wo [er] wuchs und
blühte“. Hyperions Trauer um den Verlust dieses Zustandes und seine
Versuche, ihn wiederzuerlangen, bedingen seinen „elegischen“ Charakter. Alle Versuche, den ursprünglichen Zustand des Einsseins mit der
Natur und den Göttern zu erneuern, müssen scheitern. Weder der
Freundschaftsbund mit Alabanda, die Liebe zu Diotima, die Erfahrung
der Schönheit, noch die Vergegenwärtigung der athenischen Demokra-
tie oder die Teilnahme am Kampf der Griechen gegen die Türken stillen
Hyperions Drang nach letzter Harmonie. Die Wirklichkeit widersetzt
sich stets dem Streben Hyperions; den „Kindern des Augenblicks“ ist es
verwehrt, der in der Ekstase vorgestellten Einheit Dauer zu verleihen.

So sucht Hyperion die Befreiung aus seinem Bannkreis durch ein „lebendig Geschäft". Er begeistert sich für den griechischen Freiheitskampf, kämpft an der Seite Alabandas im „guten" Krieg, damit erneut der „junge Freistaat dämmre und das Pantheon alles Schönen aus griechischer Erde sich erhebe". Die hohen Ziele des Kampfes werden jedoch durch die Wirklichkeit pervertiert. Die eigenen Leute „haben geplündert, gemordet, ohne Unterschied", die Raubgier tobt, der Befreiungsversuch verliert sein Ziel aus dem Auge, so daß Hyperion resignierend feststellen muß, daß er „durch eine Räuberbande sein Elysium hat pflanzen wollen". Schon zuvor, nach der ersten Bekanntschaft mit Alabanda, war es zwischen beiden strittig gewesen, welcher Stellenwert dem Staat und einer gewaltsamen Veränderung der Staatsform beizumessen sei. Hyperion hielt Alabanda vor: „Du räumst dem Staate denn doch zu viel Gewalt ein. Er darf nicht fordern, was er nicht erzwingen kann. Was aber die Liebe gibt und der Geist, das läßt sich nicht erzwingen. [...] Immerhin hat das den Staat zur Hölle gemacht, daß ihn der Mensch zu seinem Himmel machen wollte. Die rauhe Hülse um den Kern des Lebens und nichts weiter ist der Staat. Er ist die Mauer um den Garten menschlicher Früchte und Blumen. Aber was hilft die Mauer um den Garten, wo der Boden dürre liegt? Da hilft der Regen vom Himmel allein. O Regen vom Himmel!! O Begeisterung! Du wirst den Frühling der Völker uns wiederbringen."

Hyperion kann nur Begeisterung erregen, um damit den Frühling unter den Völkern vorzubereiten. In Griechenland hält ihn nach dem Tode Diotimas und Alabandas nichts mehr, er kehrt bei den Deutschen ein, aber Deutschland, das Land der Barbaren, verweigert sich ihm, so daß er als Eremit nach Griechenland zurückkehrt. Ganz zurückgezogen erfährt er hier, daß eine „neue Seligkeit dem Herzen aufgeht, wenn es aushält und die Mitternacht des Grams durchduldet, und daß, wie Nachtigallgesang im Dunkeln, göttlich erst in tiefem Leid das Lebenslied der Welt uns tönt". Als Dichter kündet er mitten im Leid von der künftigen Versöhnung der Welt und läßt sie in seinem Gesang aufscheinen. Indem er als Prophet die künftige „Versöhnung mitten im Streit" ahnen läßt, wird er „zum Erzieher des Volkes" mittels der Poesie und nimmt nunmehr jene Aufgabe wahr, die ihm bereits Diotima zugeschrieben hatte. Nicht also Alabandas Revolutionskonzept erweist sich demnach als tauglich, sondern die ästhetische Erziehung des Volkes tritt auch bei Hölderlin – wie bei Schiller – als die dringlichere Aufgabe an die Stelle der gewaltsamen Veränderung. Statt der Revolution vertritt Hölderlin das Konzept einer radikalen Revolutionierung der Poesie, die Prophetie werden muß, damit alles „von Grund aus anders werde! Aus der Wurzel der Menschheit sprosse die neue Welt! Eine neue Gottheit walte über ihnen, eine neue Zukunft kläre vor ihnen sich auf."

Welche Kraft Hölderlin der 'Idee der Schönheit' zumißt, wird deutlich

im sogenannten *‚Ältesten Systemprogramm des Deutschen Idealismus'*
(1796) – vermutlich eine Gemeinschaftsarbeit Hölderlins, Schellings und
Hegels. Auch hier ist der Staat nur Mittel zum Zweck: „Die Idee der
Menschheit voran – will ich zeigen, daß es keine Idee vom Staat gibt,
weil der Staat etwas mechanisches ist. [...] Wir müssen also auch über
den Staat hinaus! – Denn jeder Staat muß freie Menschen als mechanisches Räderwerk behandeln; und das soll er nicht; also soll er aufhö-
ren." Die Idee der Schönheit ist allem übergeordnet:

„Ich bin nun überzeugt, daß der höchste Akt der Vernunft, der, indem sie alle
Ideen umfaßt, ein ästhetischer Akt ist, und daß Wahrheit und Güte, nur in der
Schönheit verschwistert sind. Der Philosoph muß eben so viel ästhetische Kraft
besitzen, als der Dichter. [...] Die Philosophie des Geistes ist eine ästhetische
Philosophie. [...] Die Poesie bekömmt dadurch eine höhere Würde, sie wird am
Ende wieder, was sie am Anfang war – Lehrerin der Menschheit; denn es gibt
keine Philosophie, keine Geschichte mehr, die Dichtkunst allein wird alle übrigen
Wissenschaften und Künste überleben."

In der Konsequenz dieses Denkens liegt damit die Forderung nach einer
neuen Dichtkunst, in der die Ideen ästhetisch zur Erscheinung kommen
und damit dem „Aufgeklärten und dem Unaufgeklärten" zugänglich
werden. Dann wären auch Freiheit und Gleichheit möglich:

„Nimmer der verachtende Blick, nimmer das blinde Zittern des Volks vor seinen
Weisen und Priestern. Dann erst erwartet uns gleiche Ausbildung aller Kräfte,
des Einzelnen sowohl als aller Individuen. Keine Kraft wird mehr unterdrückt
werden, dann herrscht allgemeine Freiheit und Gleichheit der Geister!"

5 Konzepte der Humanität

5.1 „Edle Einfalt, stille Größe" – Winckelmanns Bild der Antike

> **Johann Joachim Winckelmann:**
> Gedanken über die Nachahmung der griechischen Werke in der
> Malerei und Bildhauerkunst (1755)

Sich im Begrenzten, Endlichen einzurichten, zu vollenden in der Harmonie seiner Kräfte, darin zentrierte sich das Menschenbild, das die Klassik entwarf. Dabei vermied sie die Einseitigkeit der Aufklärung, die den Menschen entweder als rein rationales oder – in der Folge des Französischen Materialismus – als rein sensualistisches Wesen begriff, indem sie alle dem Menschen innewohnenden Kräfte berücksichtigte, die es zu einer in sich vollkommenen Einheit auszugestalten galt. Ebenso revidierte die Klassik das Menschenbild des Sturm und Drang, indem sie weder die prometheische Variante der ungebundenen Selbstsetzung noch die ganymedische Variante einer sich mit dem Unendlichen vermischenden Menschheit gelten ließ (s. Goethes Hymnen ‚Prometheus' und ‚Ganymed'), sondern den Menschen als einen zwar herausgehobenen, aber dennoch mit der Natur und ihren Gesetzen zutiefst verbundenen Teil derselben begriff. „Der Mensch vermag zwar manches durch zweckmäßigen Gebrauch einzelner Kräfte, er vermag das Außerordentliche durch Verbindung mehrerer Fähigkeiten; aber das Einzige, ganz Unerwartete leistet er nur, wenn sich die sämtlichen Eigenschaften gleichmäßig in ihm vereinigen. Das letzte war das glückliche Los der Alten, besonders der Griechen in ihrer besten Zeit; auf die beiden ersten sind wir Neuern vom Schicksal angewiesen." So heißt es in Goethes ‚Winckelmann'-Aufsatz aus dem Jahre 1805.

Winckelmann hatte diese Sicht der Antike eröffnet, indem er in seinen beiden Schriften ‚Gedanken über die Nachahmung der griechischen Werke in der Malerei und Bildhauerkunst' (1755) und ‚Geschichte der Kunst des Altertums' (1764) das Interesse auf die griechische Antike, weniger auf die bis dahin fast ausschließlich gültige römische Antike lenkte. Mit seinem Begriffspaar „edle Einfalt" und „stille Größe" versuchte er, das Wesen der griechischen Kunst in einer gültigen Form zu erfassen und einen Weg zu weisen, auf dem die Neueren sich dem Ideal der Alten annähern könnten: „Der einzige Weg für uns, groß, ja wenn es möglich ist, unnachahmlich zu werden, ist die Nachahmung der Alten."

Im klassischen Humanitätsideal vereinigen sich drei Momente:

erstens Orientierung am Humanitätsideal der Antike, insbesondere der
Griechen;
zweitens Gewißheit, daß sich erst im Kunstwerk der Mensch seiner
höchsten Vollendung vergewissern kann, denn „indem [das Kunstwerk]
sich aus den gesamten Kräften [des Menschen] geistig entwickelt, nimmt
es alles Herrliche, Verehrungs- und Liebenswürdige in sich auf und
erhebt, indem es die menschliche Gestalt beseelt, den Menschen über
sich selbst, schließt seinen Lebens- und Tatenkreis ab und vergöttert ihn
für die Gegenwart, in der das Vergangene und Künftige begriffen ist",
wie es Goethe in der oben genannten Abhandlung formuliert;
drittens die Reflexion des zeitlichen Abstands zur Antike und die Frage,
ob und wie jener Abstand zwischen den Alten und den Neuen über-
brückbar sei.

5.2 Humanität und Geschichte – Herders ‚Ideen zur Philosophie der Geschichte der Menschheit'

> **Johann Gottfried Herder:**
> Ideen zur Philosophie der Geschichte der Menschheit (1784–91)

Der Frage des Verhältnisses zwischen Humanität und Geschichte geht
insbesondere Herder nach. Er versucht, Humanität in seinem großange-
legten geschichtsphilosophischen Versuch ‚Ideen zur Philosophie der
Geschichte der Menschheit' (1784–91) als das die Geschichte treibende
und bestimmende Prinzip nachzuweisen:

„Humanität ist der Zweck der Menschennatur, und Gott hat unserm Geschlecht
mit diesem Zweck sein eigenes Schicksal in die Hände gegeben." Die Geschichte,
verschiedene Räume und verschiedene Zeiten, sind der Ort, in dem die Humanität als der „Charakter unsres Geschlechts" dem Menschen „angebildet werden
muß", denn „wir bringen ihn nicht fertig auf die Welt mit; auf der Welt aber soll
er das Ziel unsres Bestrebens, die Summe unsrer Übungen, unser Wert sein. Das
Göttliche in unserm Geschlecht ist also Bildung zur Humanität. [...] Die Bildung
zu ihr ist ein Werk, das unablässig fortgesetzt werden muß, oder wir sinken,
höhere und niedere Stände, zur rohen Tierheit, zur Brutalität zurück."

Humanität meint Menschwerdung des Menschen, Selbstvervollkomm-
nung durch Befreiung und organische Entwicklung der in ihm angeleg-
ten Möglichkeiten. Der Mensch ist nicht Mittel zu einem ihm noch
übergeordneten Zweck, er ist sich selbst Zweck, und zu diesem „offenbaren Zweck [...] ist unsere Natur organisiert: zu ihm sind unsere
feineren Sinne und Triebe, unsre Vernunft und Freiheit, unsere zarte
und daurende Gesundheit, unsre Sprache, Kunst und Religion uns gege-

ben". Die Geschichte der Völker, die Herder in seinen ‚Ideen' nachzu-
schreiben versucht, wird so zu einer „Schule des Wettlaufs zur Erreichung des schönsten Kranzes der Humanität und Menschenwürde".
Selbst die Irrwege, die die Menschheit in ihrer Entwicklung beschreitet,
gereichen ihr letztlich zur Verbesserung. Da alles in der Natur „auf der
bestimmtesten Individualität ruht", mußte sich die Menschheit in einzelne Individuen, Gesellschaften und Nationen differenzieren, damit sie
sich in der Totalität ihrer Anlagen und Kräfte ganz entfalten kann. Die
Unvergleichbarkeit der Individualitäten und der Nationen mit andern
rechtfertigt jede einzelne Entwicklungsstufe bzw. jede besondere Darstellungsform der Menschheit, denn jede „trägt das Maß ihrer Vollkommenheit" in sich, indem sie den Ausgleich widerstrebender Kräfte in
sich ausbildet. Die einzelnen historischen Stufen, jeweils selbst gerechtfertigt, bilden in ihrer Zeitenfolge doch den Fortgang des Menschenge-
schlechts. Die allen Menschen gleichermaßen eigene Vernunft und die
Fähigkeit zur Traditionsbildung garantieren, daß

„die menschliche Vernunft im Ganzen des Geschlechts ihren Gang fortgehet: sie
sinnet aus, wenn sie auch noch nicht anwenden kann: sie erfindet, wenn böse
Hände auch lange ihre Erfindung mißbrauchen. [...] Indem sie Leidenschaften
bekämpft, stärkt und läutert sie sich selbst, indem sie hier gedruckt wird, fliehet
sie dorthin und erweitert den Kreis ihrer Herrschaft über die Erde. Es ist keine
Schwärmerei, zu hoffen, daß, wo irgend Menschen wohnen, einst auch vernünf-
tige, billige und glückliche Menschen wohnen werden: glückliche nicht nur durch
ihre eigene, sondern durch die gemeinschaftliche Vernunft ihres ganzen Bruder-
geschlechtes."

5.3 Das 'Neue Sehen' – Goethes Italienreise und die ‚Römischen Elegien'

> **Johann Wolfgang von Goethe:** Römische Elegien (1795)
> Italienische Reise (1816–17 veröffentlicht)
> West-östlicher Divan (1819)

Goethes Epos ‚*Die Geheimnisse*' (1784/85) – Herder zitierte zu seinen
‚*Ideen*' daraus einige Strophen – weist noch manche Züge eines aufklä-
rerischen Humanitäts- und Toleranzideals auf. Eine neue Sicht menschlicher Vollendung tat sich für ihn erst in dem Augenblick auf, als er
selbst klassischen Boden betrat. Goethe begab sich, Weimar fliehend,
1786 nach Italien. Hier erschloß sich ihm eine ganz neue Form von
Sinnlichkeit. Kurz vor seiner Rückkehr nach Deutschland Mitte 1788
berichtete er an Frau von Stein: „Ich darf wohl sagen: ich habe mich in

dieser anderthalbjährigen Einsamkeit selbst wiedergefunden; aber als was? – Als Künstler!" Auf diese neue Sehweise der Dinge kam es ihm an: „Mir ists nur jetzt um die sinnlichen Eindrücke zu tun, die mir kein Bild und kein Buch geben kann." Das subjektive Moment ist ganz zugunsten der Erfassung des Objektiven zurückgetreten. Entsprechend heißt es wieder in einem Brief an Frau von Stein: „Es dringt eine zu große Masse Existenz auf einen zu, man muß eine Umwandlung seiner selbst geschehen lassen." Das neue Sehen, das Goethe in Italien erlernt, ist kein planes Hinschauen. Im Sehen, dadurch, daß man das „Auge licht sein" läßt, erschließt sich das Wesentliche der Dinge, des Lebendigen: „Was ist doch ein Lebendiges für ein köstliches, herrliches Ding! Wie abgemessen in seinem Zustand, wie wahr, wie seiend!" „Wie ich die Natur betrachte, betrachte ich nun die Kunst" (Goethe an Frau von Stein). Aber auch das Umgekehrte gilt: Die Bewunderung, die er den griechischen Kunstwerken entgegenbringt, erklärt er damit, daß „diese hohen Kunstwerke [. . .] zugleich als die höchsten Naturwerke [. . .] nach wahren und natürlichen Gesetzen vorgebracht" seien. Diese Erfahrung, daß Kunst, Natur und Leben harmonisch zusammenstimmen können, äußert sich in den ‚Römischen Elegien' (1795). Die siebte Elegie beginnt:

> O wie fühl' ich in Rom mich so froh! gedenk' ich der Zeiten,
> Da mich ein graulicher Tag hinten im Norden umfing,
> Trübe der Himmel und schwer auf meine Scheitel sich senkte,
> Farb- und gestaltlos die Welt, um den Ermatteten lag,
> Und ich über mein Ich, des unbefriedigten Geistes
> Düstre Wege zu spähn, still in Betrachtung versank.
> Nun umleuchtet der Glanz des helleren Äthers die Stirne;
> Phöbus rufet, der Gott, Formen und Farben hervor.

Das Betrachtete wird erst durch den Geist der Liebe belebt:

> Eine Welt zwar bist du, o Rom; doch ohne die Liebe
> Wäre die Welt nicht die Welt, wäre denn Rom auch nicht Rom.

Die Liebe zu der Witwe Faustine ist sinnlich-glücklich und entspricht so gar nicht dem Typus der 'Seelenliebe', wie sie für Goethes Dichtung, abgesehen von seiner Leipziger Rokokolyrik, bisher maßgeblich war. Wie die ‚Römischen Elegien' den Augenblick eines gesteigerten, sich seiner selbst ganz vergewissernden Daseinsgefühls festzuhalten versuchen, zeigen sie gleichzeitig aber auch die Brüchigkeit und Unwiederholbarkeit solchen Lebens. Die Liebe ermöglicht den Zugang zur Antike, bedarf jedoch gleichzeitig der Distanzierung von ihr. Nicht anders ist der Dichter als Bedingung seiner Kunst auf die Inspiration Amors angewiesen, muß aber zugleich auf sie verzichten, um den „stillen Genuß reiner Betrachtung" dichterisch zu formen. Erotik, der

geschichtsträchtige klassische Boden Roms und schließlich als dritter
Motivkreis die Mythen des Altertums verschmelzen in den Elegien aufs
engste.
Goethe stellte sich mit den Elegien zum erstenmal innerhalb seiner
Lyrik in eine antike Tradition. Später in den ‚Sonetten' (1815), aber
auch im ‚West-östlichen Divan' (1819) knüpfte er an andere Traditions-
stränge an. Die römischen Elegiendichter Properz, Tibull und Ovid sind
die klassisch-antiken Vorbilder für die ‚Erotica Romana', wie die
‚Römischen Elegien' zunächst betitelt werden sollten. Aber das klassische Vorbild adaptierte Goethe nicht unverändert. Er war sich des Zeitenabstandes bewußt.
In der XIII. Elegie läßt er Amor sagen:

> Altklug lieb' ich dich nicht! Munter! Begreife mich wohl!
> War das Antike doch neu, da jene Glücklichen lebten!
> Lebe glücklich, und so lebe die Vorzeit in dir!

Es geht also nicht um die klassizistische Aneignung der für vorbildlich
gehaltenen Antike, vielmehr um die Anverwandlung und Erneuerung
des Alten in der Gegenwart. Vergleichbar wird Goethe verfahren, wenn
er sich in ‚Iphigenie' an die attische Tragödie anlehnt, wenn er in ‚Hermann und Dorothea' die Nähe zu Homer, in den ‚Xenien' (1796) oder in
seinem Lehrgedicht ‚Die Metamorphose der Pflanzen' (1799) die Nähe
zu Martial bzw. Lukrez sucht.

5.4 Die Gefährdung des Humanen –
Goethes ‚Iphigenie auf Tauris'

Wie Goethe in den ‚Römischen Elegien' versucht, sich der Antike im
Bewußtsein des Zeitenabstandes zu nähern, ohne antike Dichtung zu
imitieren, bildet er auch seine ‚Iphigenie' (1787) als „gräcisierendes"
Schauspiel, ohne freilich die Bauformen des klassischen antiken Dramas
zu übernehmen. So verzichtet er trotz des Euripideischen Dramas, das
ihm als Vorlage zur ‚Iphigenie' diente, auf die Verwendung des Chores,
führt die Handlung ganz aus dem mit dem Chor vermittelten Bereich der
Öffentlichkeit in die Sphäre der Innerlichkeit und Privatheit der Figuren. Schiller bemerkte sogleich im alten Gewand die Modernität der
‚Iphigenie':

„Ich habe mich sehr gewundert, daß sie auf mich den günstigen Eindruck nicht
mehr gemacht hat, wie sonst; ob es gleich immer ein seelenvolles Produkt bleibt.
Sie ist aber so erstaunlich modern und ungriechisch, daß man nicht begreift, wie
es möglich war, sie jemals einem griechischen Stück zu vergleichen. Sie ist ganz
nur sittlich; aber die sinnliche Kraft, das Leben, die Bewegung und alles, was ein
Werk zu einem echten dramatischen specificiert, geht ihr sehr ab."

Während noch ‚Götz von Berlichingen' oder ‚Egmont', insbesondere in den Volksszenen, von praller szenischer Sinnlichkeit strotzen, die an Shakespeares Drama erinnert, nähern sich ‚Tasso' und ‚Iphigenie', später dann noch ‚Die natürliche Tochter', ganz dem kargen, rein auf das gesprochene Wort und die andeutende Geste sich konzentrierenden Stil des französischen klassizistischen Dramas Racines. Diese Suche nach der dem Inhalt angemessenen „Harmonie im Stil" war es, die Goethe zu mehreren Umarbeitungen der ‚Iphigenie' veranlaßte, bis er schließlich in Italien die angemessene Form fand. Er bediente sich des Blankverses, den Lessing, abgesehen von anderen Versuchen, zum erstenmal im ‚Nathan' als das Maß des klassischen Dramas benutzt hatte. Die durch den fünffüßigen Jambus bewirkte Stilisierung und Vereinheitlichung des dramatischen Sprechens wird durch die starke Konzentration von Raum, Zeit und Handlung unterstützt.

So reduziert sich die dramatische Handlung der ‚Iphigenie' im wesentlichen auf zwei Entscheidungen (zum einen auf die Erfüllung oder Ablehnung von Thoas' Ansinnen, die Priesterin zu heiraten, zum andern auf die Offenbarung oder Verheimlichung des Fluchtplans) und auf zwei Entdeckungen (zum einen auf das Wiedererkennen Orests als des Bruders von Iphigenie, zum andern auf die Aufdeckung des Orakelsinns). Was die Orest- und die Iphigenien-Handlung jedoch über den rein pragmatischen Zusammenhang hinaus verbindet, ist, daß beide Figuren, die Priesterin wie ihr Bruder, sich im Verlauf der Handlung ihres gemeinsamen Ursprungs vergewissern. Iphigenie wie Orest entstammen beide dem vom Fluch beladenen Tantaliden-Geschlecht, sie beide sind am Ende des Schauspiels nach Augenblicken tiefster Verzweiflung geheilt. Iphigenie sieht sich plötzlich, um das Leben des Bruders zu retten, in die Situation versetzt:

> „das heilige,
> Mir anvertraute, viel verehrte Bild
> zu rauben und den Mann [Thoas] zu hintergehn,
> Dem ich mein Leben und mein Schicksal danke.
> O daß in meinem Busen nicht zuletzt
> Ein Widerwillen keime! der Titanen,
> Der alten Götter tiefer Haß auf euch,
> Olympier, nicht auch die zarte Brust
> Mit Geierklauen fasse! Rettet mich
> Und rettet euer Bild in meiner Seele!" (IV, 5.)

Damit ist deutlich, was für Iphigenie in der Auseinandersetzung mit Thoas auf dem Spiele steht. In Frage steht das Bild, das der Mensch von sich entwirft, aber auch das Bild, das er von seinem Gott in sich trägt. Entsprechend heißt es in dem Gedicht ‚Das Göttliche':

Heil den unbekannten
Höhern Wesen,
Die wir ahnen!
Ihnen gleiche der Mensch!
Sein Beispiel lehr' uns
Jene glauben.

Iphigenie gibt durch ihr Handeln eben dieses Beispiel, indem sie Orests, Pylades' und ihr eigenes Leben Thoas in die Hand gibt, wenn sie diesem den Fluchtplan entdeckt:

„Allein euch leg' ich's auf die Knie! Wenn
Ihr wahrhaft seid, wie ihr gepriesen werdet,
So zeigt's durch euern Beistand und verherrlicht
Durch mich die Wahrheit!" (V, 3.)

Die Rettung geschieht somit nicht wie im antiken Drama durch den Eingriff der Götter von außen. In der freien Entscheidung, durch die eigene Tat vergewissern Orest und Iphigenie sich ihres eigenen, nun selbstbestimmten Ursprungs. Geschwisterlichkeit und Freundschaft sind jene utopischen Bilder menschlichen Zusammenlebens, die am Ende des Dramas stehen, um deren Brüchigkeit Goethe jedoch nur zu genau weiß, wenn er noch während der Arbeit an der ‚Iphigenie' an Charlotte von Stein schreibt: „Hier will das Drama gar nicht fort, es ist verflucht, der König von Tauris soll reden, als wenn kein Strumpfwürker in Apolda hungerte." Und wenn Goethe in späteren Jahren seine ‚Iphigenie' „verteufelt human" nennt, weist er damit nochmals darauf hin, daß Humanität inmitten des Barbarentums immer wieder neu zu erringen ist.

5.5 Poesie als Ort der Humanität –
Schillers ‚Die Götter Griechenlands'

> **Friedrich Schiller:** Die Götter Griechenlands (1788)
> Die Künstler (1789)   Das Ideal und das Leben (1795)
> Der Spaziergang (1795)   Nänie (1800)

Wie für Goethe wurde für Schillers geistige Entwicklung neben seinem Studium der Geschichte das Studium der antiken, griechischen Kunst und Kultur wesentlich. In Wieland, der ihn zur Mitarbeit an seinem ‚Teutschen Merkur' gewann, fand er einen Lehrer. So berichtete Schiller im August des Jahres 1788 an seinen Freund Körner:

„In den nächsten zwei Jahren habe ich mir vorgenommen, lese ich keinen modernen Schriftsteller mehr. [...] Nur die Alten geben mir jetzt die wahren Genüsse. Zugleich bedarf ich ihrer im höchsten Grade, um meinen eigenen Geschmack zu reinigen, der sich durch Spitzfindigkeit, Künstlichkeit und Witzelei sehr von der wahren Simplizität zu entfernen anfing. Du wirst finden, daß mir ein vertrauter Umgang mit den Alten äußerst wohl tun, vielleicht Klassizität geben wird."

Er übersetzte ‚Iphigenie in Aulis', Szenen aus den ‚Phönizierinnen' des Euripides und Teile aus Vergils ‚Aeneis'. In die Jahre 1788/89 fallen der Plan eines großen Epos (‚Fridericiade') und des Fragment gebliebenen Dramas ‚Die Malteser', das er eigener Aussage nach ganz in „griechischer Manier" halten wollte. Das wohl beredteste Zeugnis seiner Begeisterung für die Antike ist jedoch das 1788 entstandene Gedicht ‚Die Götter Griechenlands', eine Elegie, in der in einzelnen Bildern jener Zustand beschworen wird,

> Da [die Götter] noch die schöne Welt regieret,
> An der Freude leichtem Gängelband
> Selige Geschlechter noch geführt,
> Schöne Wesen aus dem Fabelland!

Dem enthusiastisch gefeierten „Damals", „da der Dichtung zauberische Hülle / Sich noch lieblich um die Wahrheit wand", wird das trostlose „Jetzt" entgegengesetzt:

> Schöne Welt, wo bist du? Kehre wieder,
> Holdes Blütenalter der Natur! [...]
> Ausgestorben trauert das Gefilde,
> Keine Gottheit zeigt sich meinem Blick,
> Ach, von jenem lebenswarmen Bilde
> Blieb der Schatten nur zurück.

An die Stelle der sinnlich erfahrenen Götterwelt der Griechen ist der eine Gott des Christentums getreten:

> Einen zu bereichern unter allen,
> Mußte diese Götterwelt vergehn.

Die Nähe der Götter hat einer abstrakten, sich des Diesseits entäußernden Gottesvorstellung Platz gemacht; die von den Göttern sichtbar durchwaltete Natur ist der „entgötterten Natur" gewichen. Einzig in der Kunst ist in der Moderne ein Raum geblieben, in den sich die alte Vorstellung einer Harmonie von Verstand und Sinnen gerettet hat:

> Ach, nur in dem Feenland der Lieder
> Lebt noch deine [der schönen Welt] fabelhafte Spur. [...]
> Ja, sie [die Götter] kehrten heim, und alles Schöne,
> Alles Hohe nahmen sie mit fort,
> Alle Farben, alle Lebensströme,
> Und uns bleibt nur das entseelte Wort.

Aus der Zeitflut weggerissen, schweben
Sie gerettet auf des Pindus Höhn;
Was unsterblich im Gesang soll leben,
Muß im Leben untergehn.

5.6 Humanität und Politik – Schillers Abhandlung ‚Über Anmut und Würde‘

In der Antike glaubte Schiller die inzwischen verlorengegangene Harmonie von Vernunft und Sinnlichkeit noch vorhanden. In seiner 1793 veröffentlichten Abhandlung ‚Über Anmut und Würde‘ greift er die Frage nach der Wiederherstellung eben dieser Harmonie im Menschen nochmals auf. Dieser Aufsatz gehört zu den ästhetischen Beiträgen, die Schiller vorwiegend zwischen 1793 und 1795 schrieb und die sich entweder mit dem Problem der Objektivität des Schönen *(‚Kallias oder über die Schönheit‘)* oder der Wirkung der Tragödie auseinandersetzen *(‚Über den Grund des Vergnügens an tragischen Gegenständen‘, ‚Über die tragische Kunst‘, ‚Zerstreute Betrachtungen über verschiedene ästhetische Gegenstände‘, ‚Gedanken über den Gebrauch des Gemeinen und Niedrigen in der Kunst‘, ‚Vom Erhabenen‘).* Allen Abhandlungen ist gemeinsam, daß sie direkte oder indirekte Auseinandersetzungen mit *Kants* Ästhetik *(‚Kritik der Urteilskraft‘,* 1790) darstellen. Sie war es vornehmlich, die Schiller den Weg zu Kants kritischer Philosophie öffnete, fand er doch bei Kant zum einen auf den Begriff gebracht, was ihn selbst beschäftigte, zum andern Äußerungen, die ihn zum Widerspruch oder Weiterdenken anregten. So verstörte ihn auf das äußerste der von Kant behauptete Gegensatz zwischen Pflicht und Neigung in der *‚Kritik der praktischen Vernunft‘* (1788). Dem hier allerdings von Schiller Kant nur unterstellten Rigorismus in der Moralphilosophie glaubte er begegnen zu müssen. Er konzediert Kant zwar, daß „der Anteil der Neigung an einer freien Handlung für die reine Pflichtmäßigkeit dieser Handlung nichts beweist", aber er glaubt dennoch daraus folgern zu können, daß sich „die sittliche Vollkommenheit des Menschen gerade nur aus diesem Anteil seiner Neigung an seinem moralischen Handeln erhellen kann. Der Mensch nämlich ist nicht dazu bestimmt, einzelne sittliche Handlungen zu verrichten, sondern ein sittliches Wesen zu sein." Kants Moralphilosophie birgt in sich die Gefahr, daß „alle Grazien davor zurückschrecken" und ein schwacher Verstand leicht dazu verführt wird, „auf dem Wege einer finstern und mönchischen Asketik die moralische Vollkommenheit zu suchen". Damit aber wäre die Harmonie des Menschen verfehlt, er wäre nicht „einig mit sich selbst". Solche Einigkeit ist erst dann erreicht, wenn sich „der Geist in der von ihm abhängenden sinnlichen Natur auf eine solche Art äußert, daß sie seinen Willen aufs treuste ausrichtet und seine Empfindungen auf das sprechendste ausdrückt, ohne doch gegen die Anforderungen zu verstoßen, welche der Sinn an sie, als an Erscheinungen, macht, so wird dasjenige entstehen, was man Anmut nennt". Die Anmut als Ausdruck einer „schönen Seele", des „Siegels" der „vollendeten Menschheit", formuliert die Idee einer Harmonie im individuellen Bereich, die auch auf den staatlichen übertragbar ist. Ihr entspricht die liberale Regierungsform: „Wenn ein monarchischer Staat auf eine solche Art verwaltet wird, daß, obgleich alles nach eines Einzigen Willen geht, der einzelne Bürger sich doch überreden kann, daß er nach seinem eigenen Sinne lebe, und bloß seiner Neigung gehorche, so nennt man dies eine liberale Regierung."

5.7 Die Suche nach dem verborgenen Gott – Hölderlins Oden

> **Friedrich Hölderlin:** Hyperions Schicksalslied (1798)
> Der Frieden (1800)   Wie wenn am Feiertage ... (1800)
> Der Rhein (1801)   Patmos (1802/03)

In Hölderlins Briefroman preist Hyperion die Athener, die ihm als Beispiel „vollendeter Menschennatur" gelten. Der „Sinn für Freiheit", die griechische Religion und Kunst legen Zeugnis dafür ab, daß bei ihnen der „Moment der Schönheit kund geworden war unter den Menschen, da war im Leben und Geiste, das Unendlicheinige". Hyperion beschwört in hymnischer Prosa eine Zeit, in der sich Göttliches und Menschliches begegnen. Er weiß darum, daß diese Zeit endgültig vergangen ist, aber er hofft auf jenen Moment, wo erneut „Menschheit und Natur sich vereinen wird in Eine allumfassende Gottheit". Für die Jetztzeit gilt, was Hyperion im Hinblick auf die Ägypter sagt. „Wer mit dem Himmel und der Erde nicht in gleicher Lieb und Gegenlieb lebt, wer nicht in diesem Sinne einig lebt mit dem Elemente, worin er sich regt, ist von Natur auch in sich selbst so einig nicht, und erfährt die ewige Schönheit wenigstens so leicht nicht wie ein Grieche." Damit ist das zeitgenössische Dilemma umschrieben, der Zustand der Entfremdung gefaßt; die Hoffnung auf ein humanes Leben, auf die Aufhebung der Entfremdung und die Versöhnung mit den Göttern verlagert sich in die Zukunft. In der Zwischenphase verbleibt dem Menschen, sich an seine Kindheit zu erinnern und sich von seiner künftigen „vollendeten Natur" künden zu lassen. Die griechische Antike bürgt für Erneuerung des Menschen; denn: „Vollendete Natur muß in dem Menschenkinde leben, ehe es in die Schule geht, damit das Bild der Kindheit ihm die Rückkehr zeige aus der Schule zu vollendeter Natur." Das griechische Ideal als zurückzuge-

winnender Zustand menschlich-göttlicher Harmonie ist für Hölderlin
nur eine Bildvorstellung, an deren Seite weitere Chiffren treten, die
jenen Zustand vollendeter Menschennatur zu fassen versuchen. Die um
1800 entstandenen Oden und Hymnen Hölderlins, die er wie kaum ein
Lyriker vor ihm mit aller Strenge an den griechischen Vorlagen ausrich-
tete, sind Umschreibungsversuche des „Anderen", das zu suchen und
von dem zu künden Hölderlin sich anschickt und das er umschreibt als
Heimat, Vaterland, mythologische Figur (Achill), Diotima oder im Bild
des Stromes (Neckar, Main, Rhein) gestaltet.

Der Dichter zeichnet sich dadurch aus, daß er sich an den anderen
Zustand erinnern und ihn ahnungsvoll vorwegnehmen kann. Aber er
bezahlt dieses Wissen mit einer ihn von den anderen abhebenden Unsicherheit. Diese Differenz beschreibt das Gedicht ‚Abendphantasie'
(1799):

> Wohl kehren itzt die Schiffer zum Hafen auch,
> In fernen Städten, fröhlich verrauscht des Markts
> Geschäftger Lärm; in stiller Laube
> Glänzt das gesellige Mahl den Freunden.
>
> Wohin denn ich? Es leben die Sterblichen
> Von Lohn und Arbeit; wechselnd in Müh und Ruh
> Ist alles freudig; warum schläft denn
> Nimmer nur mir in der Brust der Stachel?

Und in der Ode ‚Mein Eigentum' (1799) heißt es vergleichbar:

> Beglückt, wer, ruhig liebend ein frommes Weib,
> Am eignen Herd in rühmlicher Heimat lebt,
> Es leuchtet über festem Boden
> Schöner dem sicheren Mann sein Himmel.
>
> Denn, wie die Pflanze, wurzelt auf eignem Grund
> Sie nicht, verglüht die Seele des Sterblichen,
> Der mit dem Tageslichte nur, ein
> Armer, auf heiliger Erde wandelt.
>
> Zu mächtig, ach! ihr himmlischen Höhen, zieht
> Ihr mich empor, bei Stürmen, am heitern Tag
> Fühl ich verzehrend euch im Busen
> Wechseln, ihr wandelnden Götterkräfte.

Die Poesie kann den quälenden Stachel nehmen, sie ist dem Unbehau-
sten und Ruhelosen Schutz, bietet dem „heimatlosen Herzen" die
erwünschte „bleibende Stätte":

> Sei du, Gesang, mein freundlich Asyl! sei du,
> Beglückender! mit sorgender Liebe mir
> Gepflegt, der Garten, wo ich, wandelnd
> Unter den Blüten, den immerjungen,
> In sichrer Einfalt wohne.

Solange Hölderlin noch glaubt, in seiner Poesie als Form der Prophetie von der Versöhnung zwischen den Göttern und den Menschen künden zu können, ist seine Dichtung noch ungefährdet. Der hohe Anspruch, den er an sich und sein Werk stellt, führt sein Schaffen notwendigerweise in die Krise. Die Radikalität, mit der er dichtet und die ihm die Skepsis Goethes und Schillers eintrug, läßt ihn schließlich fragen, ob er überhaupt würdig genug sei, das Amt, das er sich selbst auferlegte, auszuüben, ob sich das Göttliche überhaupt in Poesie fassen lasse („Nah ist / Und schwer zu fassen der Gott"), ja ob sich die Zeichenhaftigkeit der Welt ausdeuten lasse („Ein Zeichen sind wir, deutungslos, / Schmerzlos sind wir und haben fast / Die Sprache in der Fremde verloren"). Die Krise, in der er sich befindet, hat Hölderlin wohl am eindringlichsten in jener abrupten Kehre zwischen der ersten und zweiten Strophe seines Gedichtes ‚Hälfte des Lebens‘ formuliert:

Mit gelben Birnen hänget
Und voll mit wilden Rosen
Das Land in den See,
Ihr holden Schwäne,
Und trunken von Küssen
Tunkt ihr das Haupt
Ins heilignüchterne Wasser.

Weh mir, wo nehm ich, wenn
Es Winter ist, die Blumen, und wo
Den Sonnenschein,
Und Schatten der Erde?
Die Mauern stehn
Sprachlos und kalt, im Winde
Klirren die Fahnen.

Die Zuversicht auf eine Renaissance vollendeter Menschennatur, auf eine Rückkehr der Humanität und einen neuen Bund zwischen der Natur, den Göttern und Menschen ist äußerster Skepsis gewichen. Das Vertrauen darauf, im ästhetischen Gebilde die künftige Harmonie ahnen zu lassen, wird verdrängt durch eine immer deutlicher werdende Sprachskepsis (die Sprache ist der „Güter Gefährlichstes"). Hölderlins Verstummen, vielleicht auch sein Wahnsinn, liegen in der Konsequenz seines radikalen poetischen Anspruchs. Damit stand Hölderlin jedoch nicht allein, denn die Erfahrung der Zerbrechlichkeit des eigenen Humanitätskonzepts deutet sich in vielen klassischen Entwürfen an.

5.8 Entsagung und Humanität – Goethes ‚Wilhelm Meister'

Die Konzepte der Humanität, die in der Klassik entwickelt wurden,
weichen voneinander ab. Sie stimmen jedoch insofern überein, als die
Antike für fast alle Autoren ein wichtiger Orientierungspunkt ist. Ihr
Menschenbild hat Modellcharakter, auf das man sich beruft und das es
wiederherzustellen gilt. Jedoch nur eine die Intention der Klassiker ver-
fälschende Interpretation konnte ihnen unterstellen, daß das Humanitätsideal gesicherter Besitz sei. Das Gegenteil ist der Fall. Goethe, Schiller und Hölderlin wissen um die Zerbrechlichkeit des einmal erreichten
Humanen. Goethe umschreibt ein neues Daseinsgefühl in seinen ‚Römischen Elegien' aus der elegischen Distanz. Er läßt in der ‚Iphigenie' das
Ideal einer Kommunikationsgemeinschaft aufscheinen, die immer wieder mit dem Einsatz der ganzen Person zu erneuern ist. Schiller verweist
auf den notwendigen, immer wieder gefährdeten politischen Rahmen, in
dem das Ideal der Anmut erscheinen kann. Hölderlin schließlich zeigt in
der Genese seines Werkes, wie die Radikalität des poetischen
Anspruchs, von der Humanität zu künden, die Grundfesten der eigenen
Poesie zerstört. Der hohe Anspruch, mit dem die Klassiker angetreten
waren, führt sie in die Resignation. Dies wird besonders deutlich an der
Entwicklung von Goethes ‚Wilhelm Meisters Lehrjahre' (1795/96), hervorgegangen aus: ‚Wilhelm Meisters theatralische Sendung', fortgesetzt
in: ‚Wilhelm Meisters Wanderjahre' (1821).
Wilhelm Meister tritt seine Lehrjahre mit dem Anspruch an, seine Individualität voll zu entwickeln. In einem Brief an seinen Freund Werner
umschreibt er sein Lebensziel: „Daß ich Dir's mit einem Worte sage:
mich selbst, ganz wie ich bin, auszubilden, das war dunkel von Jugend
auf mein Wunsch und meine Absicht." Ihm, dem Bürgerlichen, bleibt
jedoch der Weg zur „harmonischen Ausbildung seiner Natur" verschlossen. Allein dem Edelmann ist eine „personelle Ausbildung" möglich:
„Ein Bürger kann sich Verdienst erwerben und zur höchsten Not seinen
Geist ausbilden; seine Persönlichkeit geht aber verloren, er mag sich
stellen, wie er will." Während der Bürger sich stets der ihm gezogenen
Grenzlinie bewußt sein muß, kennt der Edelmann „im gemeinen Leben
gar keine Grenzen". Der Adel definiert sich durch das, was er ist, während der Bürger durch seine Persönlichkeit „nichts gibt und geben soll".
Der Edelmann darf „tun und wirken", der Bürger muß sich mit Leistung
und Besitz und der Ausbildung einzelner Fähigkeiten begnügen. Wo der
Edelmann „scheinen" soll, muß sich der Bürger „brauchbar" machen,
indem er sich auf seine Weise spezialisiert und „alles übrige vernachlässigt". „An diesem Unterschiede" – so konstatiert Wilhelm schließlich –
„ist nicht etwa die Anmaßung der Edelleute und die Nachgiebigkeit der
Bürger, sondern die Verfassung der Gesellschaft schuld; ob sich daran
einmal etwas ändern wird und was sich ändern wird, bekümmert mich

wenig." So kann Wilhelm sich seinen Wunsch einer harmonischen Ausbildung seiner Natur einzig und allein „auf den Brettern" des Theaters
erfüllen. Nur dort glaubt er zur „öffentlichen Person" werden zu können, nur dort „erscheint der gebildete Mensch [seiner Klasse] so gut
persönlich in seinem Glanz als in den oberen Klassen".

Goethes Held macht Erfahrungen im Kreise des bürgerlichen Erwerbs-
lebens, in der Welt des Theaters, der Welt des alten Adels und schließlich im Kreise einer adeligen, aber nach bürgerlichen Maximen handelnden Turmgesellschaft, die – wie sich im Laufe des Romans allmählich
offenbart – Wilhelms Geschick aus dem Verborgenen heraus gelenkt
hat. Sicherlich geht Wilhelm aus diesen Begegnungen gereifter und
gebildeter hervor, aber am Ende der ‚Lehrjahre' steht doch nicht die
vollendete, in sich ruhende Persönlichkeit, die Wilhelm sich als Endpunkt seines Bildungsprozesses vorstellte. Immer deutlicher wird der
zunächst auf den einzelnen bezogene Bildungsbegriff ausgeweitet,
indem Bildung nunmehr als eine Aufgabe innerhalb der Gesellschaft
gefaßt wird. Die schöpferische Persönlichkeit wird auf den anderen und
die Welt als Materie seiner Bildung verwiesen:

„Das ganze Weltwesen liegt vor uns, wie ein großer Steinbruch vor dem Baumei-
ster, der nur dann den Namen verdient, wenn er aus diesen zufälligen Naturmas-
sen ein in seinem Geiste entsprungenes Urbild mit der größten Ökonomie,
Zweckmäßigkeit und Festigkeit zusammenstellt. Alles außer uns ist nur Element,
ja ich darf wohl sagen, auch alles an uns; aber tief in uns liegt diese schöpferische
Kraft, die das zu erschaffen vermag, was sein soll, und uns nicht ruhen und rasten
läßt, bis wir es außer uns oder an uns auf eine oder die andere Weise dargestellt
haben."

Das Individuum verdient seinen Namen nur, wenn es für alle Nutzen
stiftet und sich mit Erfolg in die Gesellschaft einordnet. Und die
moderne Gesellschaft, so wie Goethe sie beim Abfassen der Fortsetzung
der ‚Lehrjahre' vor Augen hat, fordert von dem einzelnen nicht mehr
die Vervollkommnung aller Kräfte, sondern die Konzentration auf eine
einzelne Kraft oder Fähigkeit, mit der sie dem Gemeinwohl nutzen
kann. An die Stelle der Idee einer vielseitigen Bildung tritt ein Bildungs-
konzept der Einseitigkeit: „Vielseitigkeit bereitet eigentlich nur das Element vor, worin der Einseitige wirken kann, dem eben jetzt genug Rahmen gegeben ist. Ja, es ist jetzt die Zeit der Einseitigkeiten; wohl dem,
der es begreift, für sich und andere in diesem Sinne wirkt."

Vor allem im zweiten Teil, ‚Wilhelm Meisters Wanderjahre', ist somit
die Erfahrung einer immer komplexer und weiträumiger werdenden
Welt eingegangen: „Nur alle Menschen machen die Menschheit aus, nur
alle Kräfte zusammengenommen die Welt." Die „entschlossene Tätigkeit", der „Forderung des Tages" zu gehorchen, wird die vordringlichste
Aufgabe. Erst wenn „unsre redlichen menschlichen Gesinnungen" in

einen „praktischen Bezug ins Weite" und nicht nur zu dem „Nächsten"
gesetzt werden, kann den Ansprüchen einer modernen Welt Genüge
getan werden. Ein sich auf den einzelnen konzentrierender Bildungsbegriff ist damit fragwürdig geworden. Der Mensch muß angesichts der
Moderne viel eher einen Weg finden, seine selbstischen Wünsche zu
beschränken und sie den Bedürfnissen der Gesellschaft anzupassen. Am
bündigsten hat Goethe diese Maxime durch den Untertitel der ‚Wanderjahre' ausgedrückt: „Die Entsagenden".

Weil also ein fest umschreibbarer Höhepunkt eines Bildungsprozesses
nicht mehr auszumachen ist, ändert sich auch die Erzählform. Während
die ‚Lehrjahre' noch linear erzählt werden konnten, die Möglichkeit
bestand, Wilhelms auf ein Ziel hin ausgerichtetes Streben chronologisch
wiederzugeben, mußte Goethe bei den ‚Wanderjahren' sich anderer
literarischer Techniken bedienen. Da sich die Vielschichtigkeit und
Vielseitigkeit der Erfahrungen einer sich ankündigenden Moderne
„nicht rund aussprechen und mitteilen" lassen, wählte Goethe ein Verfahren der Gegenüberstellung und Spiegelung, bei dem es dem „aufmerkenden" Leser überlassen ist, den „sich gleichsam ineinander abspie-
gelnden Gebilden den geheimeren Sinn" abzulauschen.

6 Goethes Alterswerk als Überwindung der Klassik – ‚Faust'

> **Johann Wolfgang von Goethe:** Faust. Der Tragödie erster Teil
> (1808)   Pandora (1809)   Die Wahlverwandtschaften (1809)
> Dichtung und Wahrheit. Aus meinem Leben (1811)
> West-östlicher Divan (1819)   Wilhelm Meisters Wanderjahre
> oder die Entsagenden (1821)   Trilogie der Leidenschaft (1827)
> Novelle (1828)   Faust. Der Tragödie zweiter Teil (1832)

Goethes Urteil über ‚Wilhelm Meisters Wanderjahre', sie seien eines
der „incalculabelsten Produktionen", gilt in gleicher Weise von seinem
‚Faust'. In einem Gespräch mit Eckermann läßt Goethe sich über sein
noch nicht ganz zu Ende geführtes Werk folgendermaßen aus:

„Der ‚Faust' ist doch etwas ganz Inkommensurables, und alle Versuche, ihm dem
Verstande näherzubringen, sind vergeblich. Auch muß man bedenken, daß der
erste Teil aus einem etwas dunklen Zustande des Individuums hervorgegangen.
Aber eben dieses Dunkel reizt die Menschen, und sie mühen sich daran ab wie an
allen unauflösbaren Problemen."

Das Inkommensurable des Werkes liegt zumindest zum Teil in der sich
über sechzig Jahre hinziehenden Entstehungsgeschichte begründet.
Goethes erste Beschäftigung mit dem Fauststoff datiert aus der Zeit
1772–1775, fällt demnach in die Sturm-und-Drang-Phase. Der die
Gelehrten- und die Gretchentragödie enthaltende ‚Urfaust', zu Lebzeiten Goethes nicht veröffentlicht und erst 1887 von Erich Schmidt wie-
derentdeckt, erschien in überarbeiteter Form 1790 unter dem Titel
‚Faust, ein Fragment'. Schiller veranlaßte Goethe zur Wiederaufnahme
und Fortführung des Dramas, so daß 1808 ‚Faust, der Tragödie erster
Teil' erscheinen konnte, nun vor allem erweitert durch die drei Prologe
und die Paktszenen, so daß mit dem Motiv des Paktes bzw. der Wette
mehr an Handlungskontinuität gewährleistet war. Zwischen 1825 und
1831 fügte Goethe schließlich die schon um 1800 entstandenen Teile,
den Helena-Akt und die Szenen am Kaiserhof, zu einem Ganzen, das er
jedoch mit nur wenigen Ausnahmen vor den Augen der Öffentlichkeit
verschloß. Er versiegelte das Werk, damit „es, wie es auch sei, noch
einige Jahre in Ruhe bleiben möge". Das Inkommensurable des ‚Faust'
erklärt sich nicht nur aus seiner Entstehungsgeschichte. Goethe sprengt
mit der von ihm gewählten Form alle vorliegenden Gattungsmuster des
Dramas, indem sich im ‚Faust' Tragödie und Komödie, Fastnachtsspiel
und Mysterienspiel zu einer eigenartigen Einheit vermischen. Die gleiche Mannigfaltigkeit weist auch die metrische Form auf. Stanze, Knittel-

vers, klassischer Trimeter und Alexandriner wechseln miteinander, Ballade, Volkslied, Terzine, Madrigalvers und hymnischer Gesang stehen nebeneinander, so daß jede Szene, jede Situation den ihr einzig angemessenen Ausdruck findet. Während in ,Faust I' noch eine sehr sprunghafte, an die Sturm-und-Drang-Dramatik erinnernde Handlungsfolge vorhanden ist, fehlt diese im zweiten Teil der Faustdichtung. Die Fausthandlung bildet hier allenfalls noch den roten Faden, an welchem eine selbständig gewordene Bildfolge in sich weitgehend autonomer Szenen aufgezogen ist. Auch in ,Faust II' greift Goethe folglich auf ein für seinen Altersstil charakteristisches Darstellungsprinzip zurück, das schon im Roman ,Wilhelm Meisters Wanderjahre' zu beobachten war und das er in einem Brief an Iken vom 27. September 1827 im Hinblick auf ,Faust II' folgendermaßen umschreibt: „Da sich gar manches unserer Erfahrungen nicht rund aussprechen und direkt mitteilen läßt, so habe ich seit langem das Mittel gewählt, durch einander sich gegenübergestellte Gebilde den geheimeren Sinn dem Aufmerkenden zu offenbaren." An die Stelle der dramatischen Sukzession, eines zeitlichen Kontinuums, kausaler Handlungsverknüpfung und psychologischer Entwicklung und Wahrscheinlichkeit ist eine Reihung von aufeinander verweisenden Bildern, ein Symbolgeflecht als Verweisungszusammenhang getreten. Gemäß der Goetheschen Devise „Alles was geschieht ist Symbol" (so Goethe am 2. April 1818 an Schubarth) wird das Ganze, das Göttliche eingeschlossen, nie sagbar, sondern nur andeutbar: „Indem [das Symbol] vollkommen sich selbst darstellt, deutet es auf das übrige" (ebd). Die symbolische Struktur ist damit die eigentliche Antwort auf Fausts Streben, des Ganzen innezuwerden, es in Besitz zu nehmen. Die Struktur des Werkes selbst widerlegt Fausts Unterfangen, des Göttlichen auf direktem, unmittelbarem Wege habhaft zu werden, ein von vornherein zum Scheitern verurteiltes, weil der Conditio humana widersprechendes Unterfangen. Dies beweist der Schluß von ,Faust II', wenn Faust auf der Stufenleiter der Erlösung des Göttlichen innewerden darf, und die Ariel-Szene zu Beginn von ,Faust II', wenn er erkennen muß, daß ihm der direkte Blick in die Sonne versagt und er statt dessen auf den „farbigen Abglanz" und die „Trübung" angewiesen ist. Insofern dürfte es einem großen Mißverständnis gleichkommen, wenn man in Goethes Faustdichtung nichts anderes sehen will als eine großangelegte Rechtfertigung des menschlichen Strebens. Nur zu lange wurde diese Seite am ,Faust' einseitig betont. „Wer immer strebend sich bemüht, den können wir erlösen." Dieser Satz wurde zur billigen, unreflektierten Phrase im Munde des Bildungsbürgers, der sich nur allzugern mit Faust identifizierte und in ihm einen typisch deutschen Zug erkennen wollte, so daß deutsch und faustisch miteinander gleichgesetzt wurden. Wenn Faust überhaupt als Prototyp für etwas gelten soll, dann ist er weniger der Prototyp des Deutschen, sondern viel eher der Prototyp des modernen Menschen. Goethe hat mit Bedacht eine historische Figur gewählt, um die sich bereits zu Lebzeiten eine Fülle von Geschichten rankte und die sich als Dramenfigur und als Warnfigur in den Volksbüchern anbot. Seine Wahl fiel auf die Figur des Doktor Faustus, weil Faust eine typische Figur an der Epochenschwelle von der mittelalterlichen Ordo-Welt zur Moderne ist. Faust ist der neuzeitliche Mensch, der voraussetzungslos, jenseits der alten Autoritäten, ganz auf sich gestellt nach dem sucht, was „die Welt im Innersten zusammenhält". Fausts Stationenweg bezeichnet unterschiedliche, immer wieder scheiternde Experimente, sich des Ganzen zu vergewissern. Dies gilt für die Gelehrtentragödie und die Gretchentragödie. Weder die Wissenschaft noch die Liebe oder die Magie verhelfen Faust zu seinem Ziel. Auch die Macht erweist sich als untauglich. Dies beweist der zweite Teil der Tragödie: Mephistos inflationistische Verwendung des Papiergeldes, die Erzeugung des Homunkulus (eines künstlichen Menschen) durch den Famulus Wagner, Faust als Herr der Meere und schließlich als Kolonisator. All diese Experimente scheitern, weil Faust blind ist für die menschlichen Grenzen und sein Maß nicht kennt. So wie er die Idylle um Philemon und Baucis zerstört, zerstört er auch sich selbst. Goethe verwirft nicht die in Faust demonstrierte Autonomie des Menschen, aber er zeigt an Fausts Scheitern, daß der autonome Mensch sich durch Entsagung und Verzicht in ein Ganzes eingliedern muß.

‚Faust' und ‚Wilhelm Meisters Wanderjahre' sind somit zwei komplementär zueinander stehende Werke. Das eine Werk zeigt den autonomen, das andere den entsagenden Menschen. Fausts Scheitern und die Ironie, die als Grundton vor allem den Schluß von ‚Faust II' untermalt, verweisen auf die Lehre, die gegen Ende der Wanderschaft Wilhelm Meisters zusammenfassend formuliert wird.
Es heißt da,

„daß man weder nötig habe, bis zum Mittelpunkt der Erde zu dringen, noch sich über die Grenzen des Sonnensystems hinaus entfernen, sondern schon genüglich beschäftigt und vorzüglich auf Tat aufmerksam gemacht und zu ihr berufen werde. An und in dem Boden findet man für die höchsten irdischen Bedürfnisse das Material, eine Welt des Stoffes, den höchsten Fähigkeiten des Menschen zur Bearbeitung übergeben; aber auf jenem geistigen Wege werden immer Teilnahme, Liebe, geregelte freie Wirksamkeit gefunden. Diese beiden Welten gegeneinander zu bewegen, ihre beiderseitigen Eigenschaften in der vorübergehenden Lebenserscheinung zu manifestieren, das ist die höchste Gestalt, wozu sich der Mensch auszubilden hat."

Zweiter Teil: Romantik

1 Einführung in die Epoche

1.1 Zum Begriff 'Epoche'

Die deutsche Literaturgeschichtschreibung scheidet seit längerem 'Sturm und Drang', 'Klassik' und 'Romantik'. Zugunsten einer stärkeren begrifflichen Differenzierung verzichtet sie auf einen zusammenfassenden Namen für ein Zeitalter, das noch von dem Literaturwissenschaftler H. A. Korff in den 20er Jahren dieses Jahrhunderts als 'Goethezeit' begriffen wurde. In den angelsächsischen Ländern und in Frankreich benennt man den Zeitraum mit dem weitgefaßten Begriff 'Romantik', der z. B. Goethes ‚Leiden des jungen Werthers' (1774) und ‚Wilhelm Meister' (1795/96), Herders ‚Ideen zur Philosophie der Geschichte der Menschheit' (1784/91), Schillers Schrift ‚Über naive und sentimentalische Dichtung' und seine Briefe ‚Über die ästhetische Erziehung des Menschen' (1795/96) mit einschließt. Konsequenterweise vermeidet die deutsche Literaturgeschichtschreibung in ihrem engeren Romantikverständnis zumeist den Begriff 'Epoche', weil er in seiner üblichen Geltung einen zeitlich begrenzten und inhaltlich genauer bestimmbaren geschichtlichen Abschnitt meint. Jüngere Forschungsarbeiten sehen 'Romantik' nicht mehr bevorzugt im Kontrast zur 'Weimarer Klassik', sondern als ein Phänomen in komplexer geschichtlicher Verzahnung. Es läßt sich zeigen, daß 'Romantik' innerhalb der deutschen Entwicklung weniger eine Periode umfassender Veränderungen und unübersehbaren Neubeginns als vielmehr eine Phase fortdauernder politischer Wertbegriffe, kontinuierlicher wirtschafts- und sozialgeschichtlicher Bewegungen und durchgängiger geistiger Traditionen ist. Dementsprechend wäre eine Aufwertung der 'Romantik' zu einem historischen Epochenbegriff unangemessen. Sie wäre problematisch, weil sie den Blick auf die allgemeine Zeittypik verstellen, die innere Bewegtheit der Zeit und das Wechselspiel der Kräfte verdecken könnte. Sofern nun doch von der Romantik als einer Epoche gesprochen werden soll, kann das nicht ohne vorherige Erläuterungen und Bestimmungen geschehen, die 'Epoche' in einem engeren Verständnis meinen, z. B.: Romantik als 'Phase' im Sinne einer zeitlich begrenzten Erstreckung, als 'Gruppierung' im Hinblick auf bestimmte Personenkreise, als 'Richtung' in Anbetracht der geistigen Oppositionen, als 'Strömung' in der Bedeutung einer eigenen Kraft im Wechselspiel mit anderen, als 'Bewegung' unter dem Aspekt der geistigen Formation.

1.2 Zu den Begriffen 'Romantik' und 'romantisch'

Man belegt seit dem Beginn des 19. Jh.s die etwa zwischen 1795 und
1830 sich entfaltende philosophisch-literarische Bewegung um die Brüder Schlegel mit den Begriffen 'Romantik' und 'romantisch'. Noch um
die Jahrhundertwende wird 'romantisch' zuerst in der Bedeutung 'im
Roman vorkommend', 'wunderbar', 'phantastisch', 'unwirklich',
'unwahr', 'lebensfern', 'erfunden' gebraucht. Für die Aufklärer wie auch
für alle, die einen Gegensatz zur klassischen Kunst ausdrücken wollen,
hat es einen überwiegend abwertenden Klang. Herder, der es zur
Abgrenzung von germanisch-romanischer Kultur gegen die 'antikische'
verwendet, wertet es positiv. August Wilhelm Schlegel bezieht den
Begriff 'romantisch' auf die mittelalterliche und die neuzeitliche, christ-
lich geprägte Literatur im Gegensatz zur klassisch-antikischen; Friedrich
Schlegel erweitert ihn auf das Poetische an sich, das sich nach seiner
Anschauung im Roman in reiner Form verwirklicht findet. Die Gleichsetzung von 'romantisch' mit 'poetisch' bei Tieck nimmt hier ihren Ausgang. Novalis verwendet als erster das Substantiv 'Romantik' und meint
damit 'Lehre vom Roman'. Heute versteht man unter 'romantisch' im
allgemeinen Sprachgebrauch das Vorherrschen von Gefühl und Phantasie, von Introvertiertheit, Weltfremdheit, Naturverbundenheit.

1.3 Zum Verständnis der Romantik als einer literarischen Epoche

Grundzüge der Epoche. Romantik – zunächst verstanden als eine
Bewegung um die Brüder Schlegel – folgt nicht auf die Klassik, sondern
spielt sich in den Anfängen gleichzeitig, in unmittelbarer Auseinandersetzung mit deren Prinzipien und Vorstellungen ab. Die gleichen politischen, sozialen und geistigen Phänomene markieren den Lebensweg der
romantischen Autoren – nur sind sie, fast alle in den 70er Jahren des 18.
Jh.s geboren, etwa eine Generation jünger als die Klassiker. Die Französische Revolution trifft sie noch nicht als beruflich etablierte, gesellschaftlich weitgehend integrierte Bürger, sondern als Gymnasiasten, die
etwas älteren auf der Schwelle zum Universitätsstudium. Nicht zuletzt
rührt daher ihre anfänglich begeisterte Reaktion auf das epochale Ereignis. Ihre spätere Skepsis entspricht durchaus der Ablehnung oder
Distanziertheit, die die Revolution durch Schiller und Goethe erfährt
(vgl. o. S. 54ff.). Die älteren Romantiker – die Brüder Schlegel, Novalis, Tieck – empfinden ihre Positionen generell nicht als einen Gegensatz, sondern als eine Ergänzung und Erweiterung der Klassik. Ihre
Erforschung des Sanskrit und der germanischen Vorzeit tritt gleichberechtigt neben die Begeisterung für die griechische und römische

Antike. Die häufig zitierte Formulierung A. W. Schlegels, die auf Gegensätzlichkeit der klassischen und romantischen Kunstbestrebungen zielt, steht in Wirklichkeit völlig vereinzelt:

„Die Poesie der Alten war die des Besitzes, die unsrige ist die der Sehnsucht; jene steht fest auf dem Boden der Gegenwart, diese wiegt sich zwischen Erinnerung und Ahndung."

Schon 1806 schreibt Achim von Arnim in der ‚Zeitung für Einsiedler':

„Der blinde Streit zwischen sog. Romantikern und sog. Klassikern endet sich. Was übrig bleibt, das lebt."

Die Romantiker wenden sich in erster Linie gegen die vernünftelnde Literatur der Aufklärungsnachfahren. Besonders Tieck hatte zwischen 1795 und 1798, als er für Friedrich Nicolais ‚Straußfedern' schrieb, Erfahrungen mit dessen moralisierender Unterhaltungsliteratur und profitorientiertem Geschäftsgebaren gemacht. An der Person des erfolgreichen Vielschreibers August Kotzebue, des Verfassers unzähliger, höchst erfolgreicher Theaterstücke, entzündet sich ihr Widerspruch (vgl. o. S. 31 f.).

Die Romantiker erneuern aber auch den Irrationalismus des Sturm und Drang. Ihr Ziel ist nicht ein Mensch, der sich vernünftig in die Gesellschaftsgegebenheiten einpaßt, sondern einer, der sich durch Bildung – als die Gesamtheit menschlicher Erfahrung – seinem Ziel einer zum Unendlichen hin möglichen Selbstbestimmung nähert. Ähnlich den Bemühungen der Autoren des Sturm und Drang um Befreiung des Menschen aus seinen ständischen und sozialen Fesseln oder denen der Klassik zur Lösung des Menschen aus seiner naturhaft-gesellschaftlichen und moralisch-geistigen Beschränktheit haben manche Ansätze der romantischen Vorstellung vom Menschen und von der ihm angemessenen gesellschaftlichen Organisation stark utopischen Charakter. Doch sind sie häufiger rückwärtsgewandt, mystifizierend oder eskapistisch ausgerichtet.

Zusammenfassend kann man folgende Akzentuierungen und Ausrichtungen hervorheben, mit denen sich die Romantiker von den unmittelbar vorausgehenden und gleichzeitigen literarischen Bewegungen unterscheiden und charakterisieren lassen:

Sie begründen literarische Mischformen als höchsten geistigen Ausdruck universalen Strebens; sie versuchen, die zeitgenössischen Beschränkungen menschlicher Denk- und Handlungsfreiheit durch neue Perspektiven aufzubrechen: den psychischen Innenraum, den Bezug zum Jenseits, die menschliche Vorgeschichte (Mythologie), die Kindheit des Individuums und des Volkes, die nationale Vergangenheit, die Versenkung in die Natur, die geographische Ferne (Exotik); sie betonen das Gefühl als ein wesentliches Wahrnehmungs- und Beurteilungsinstrument und geben sich einem grenzenlosen Subjektivismus (in Ruhelosigkeit und Weltschmerz) hin; sie erheben das Lyrische zur intensivsten menschlichen Ausdrucksform und die Musik zum reinsten künstlerischen Ausdrucksmittel.

Der Mangel an Tatkraft, der Rückzug in die Innerlichkeit, das Ausweichen in eine Welt der Vorstellungen ist schon von Zeitgenossen, z. B. Goethe, heftig kritisiert und auch von einigen Romantikern, z. B. Wackenroder und E. T. A. Hoffmann, als zumindest problematisch empfunden worden. Doch muß die Romantik nicht als die totale Negation ihrer Gegenwart, als bloße „Erinnerung und Ahndung" begriffen werden. Ihre frühe Radikalität – die Verabsolutierung des Subjekts, die Proklamierung der Irrationalität, die Forderung nach Poetisierung der Welt – entspricht durchaus der Jugend ihrer Vertreter und der Unbedingtheit, mit der man gleichzeitig in Frankreich politische Forderungen realisiert hat. Überbetonung des Subjekts, seiner Freiheit und Schöpferkraft, auch Ironie, Zynismus und nihilistische Welteinschätzung (Tieck: ‚Geschichte des Herrn William Lovell', 1795/96; Klingemann: ‚Nachtwachen von Bonaventura', 1804) sind als unbewußte Kompensation der „verzweiflungsvollen Angst" angesichts der Folgen, die „jeder kleinen Tat [. . .] wie große Gespenster nachtreten", und angesichts der „Heerscharen des Elends [. . .] überall auf dem ganzen Erdenrund" (Wackenroder) interpretierbar.

Vor allem seit etwa 1808 scheut die Romantik nicht die Auseinandersetzung mit den gewerblich-industriellen Veränderungen. Sie sucht auch, den von ihr favorisierten Menschentyp im Kontrast zu dem durch Gewerbefleiß, Existenzsicherung, Gewinnstreben und Anpassung langsam sich deformierenden Bürger, dem Philister, zu entwickeln. Mannigfache, der zeitgenössischen Wirklichkeit entnommene Züge werden zur Ausgestaltung der dichterischen Welt genutzt. Diese romantische Literatur ist von beträchtlicher Bedeutung für die Entwicklung realistischer Dichtungen in den folgenden Jahrzehnten.

Zeitliche Begrenzung. Der Beginn der romantischen Bewegung 1795 läßt sich mit dem literarischen Auftreten der Schlegel, Tieck, Novalis annähernd genau ansetzen, die Bestimmung des Endes fällt dagegen schwer. Wenn in dieser Darstellung etwa das Jahr 1820 gewählt wird, dann aus folgenden Gründen:

Die Gruppe um die Brüder Schlegel erweitert sich um Personen und geistige Interessen, womit sie erst zu einer Bewegung wird. Diese Bewegung im Sinne einer relativ geschlossenen geistigen Formation fällt nach 1815 auseinander. Die Einbußen an Erneuerungskraft, an gedanklichem und literarischem Niveau lassen sich erklären mit dem Tod von Wackenroder (1798), Novalis (1801), Kleist (1811), Hoffmann (1822), mit dem Rückzug der Schlegels, der Grimms, Görres', Uhlands in die Wissenschaft, nicht zuletzt mit den völlig verwandelten Zeitverhältnissen. Wei-

ter ist ein deutlicher Resonanzverlust – so paradox das auch erscheinen
mag – ablesbar an der Trivialisierung romantischer Themen, Motive,
Formen, Schreibweisen und am Abgleiten in eine populäre, überwiegend Unterhaltungszwecken dienende Literatur. Schließlich treten neue
Namen in den Blickpunkt, mit denen zugleich gewandelte Einstellun-
gen, andere Themen, Betrachtungsweisen und Schreibhaltungen in den
Vordergrund der geistigen Szenerie rücken: Grillparzer und Raimund,
Heine und Grabbe, in der literaturhistorischen Terminologie gesprochen: das beginnende Biedermeier und das Junge Deutschland.

Probleme einer Grenze bei 1820.   Außerhalb der Betrachtung bleibt der
Wandel in der Geschichtsauffassung (Adam Müller, Joseph Görres).
Ausgehend von einer Sympathie für die Prinzipien der Französischen
Revolution und einem Bewußtsein von Deutschlands vergangener historischer Größe, gibt deren Geschichtsdenken in der Ausrichtung auf ein
gemeinsames patriotisches Interesse den widerstreitenden Kräften ent-
scheidende Impulse für den begeisterten Aufruhr gegen die französische
Fremdherrschaft; doch mündet es nach 1820 mehr und mehr in eine
Ideologie zum Schutz restaurativer Politik ein. Nur vom Endpunkt dieser Entwicklung her erklärt sich eine Einschätzung der Romantik als
einer politisch reaktionären Bewegung.

Von den Dichtern der romantischen Bewegung sind insbesondere Tieck
(†1853) und Brentano (†1842) weit über 1820 hinaus literarisch produk-
tiv. Tieck paßt sich den auf Wirklichkeitsnähe zielenden Zeitströmun-
gen an und beeinflußt sie seinerseits mit einer Anzahl Novellen und
Erzählungen (,Der Aufruhr in den Cevennen', 1826; ,Der junge
Tischlermeister', 1836; ,Des Lebens Überfluß', 1839; ,Vittoria Acco-
rombona', 1840). Brentano wendet sich, von der späten Überarbeitung
und Veröffentlichung viel früher entstandener Märchen abgesehen, mit
seiner Abreise 1818 aus Berlin nach Dülmen – zur Aufzeichnung der
Visionen der stigmatisierten Nonne Anna Katharina Emmerick – der
religiösen Zweckliteratur zu. Diese mehrt er mit konservativen Tenden-
zschriften, mit dem gewaltigen, nur teilweise ausgeführten Plan
einer ,Leben Jesu'-Dichtung und später mit religiös durchdrungener
Liebesdichtung.

Der einzige heute populäre Dichter der Romantik, Joseph von Eichendorff (1788–1857), hat bis 1820 erst den Roman ,Ahnung und Gegenwart' (1815) mit etwa 50 eingelegten Gedichten, darunter ,In einem
kühlen Grunde', ,O Täler weit, o Höhen', und die Novelle ,Das Marmorbild' (1818) veröffentlicht. Die Erzählung ,Aus dem Leben eines
Taugenichts', für Generationen der Inbegriff der Romantik, erscheint
vollständig erst 1826. Eichendorffs umfangreiches, bedeutsames literarisches Werk, das Roman, Erzählung, Lyrik, Drama, Versepos umfaßt,
entsteht also zum größen Teil erst nach diesem Zeitpunkt.

Die Setzung einer Zeitgrenze überhaupt bedeutet, daß das Fortwirken der Romantik, z. B. im Schwäbischen Dichterkreis oder bei Platen, Lenau, Heine, aber auch die Neoromantik späterer Zeit nicht Gegenstand dieser Darstellung ist.

1.4 Möglichkeiten zur Untergliederung der Epoche

Auf den ersten Blick bestimmen Geschwisterpaare, Verwandtschaftsgruppen und Freundeskreise das Bild der Romantik: die Brüder Schlegel und Grimm, die Geschwister Clemens und Bettina Brentano; Achim von Arnim heiratet Bettina, Bernhardi heiratet Tiecks Schwester Sophie, die später A. W. Schlegels Geliebte wird; Caroline (geb. Michaelis, verwitwete Böhmer) heiratet zunächst A. W. Schlegel, dann Schelling; Dorothea (geb. Mendelssohn, geschiedene Veit) heiratet Fr. Schlegel; eng befreundet sind Wackenroder und Tieck, Tieck und Novalis, Brentano und Arnim, Arnim und die Grimms. Verschiedentlich publizieren auch Freunde gemeinschaftlich, wie z. B. Wackenroder und Tieck in den ‚Herzensergießungen eines kunstliebenden Klosterbruders‘ (1797). Dennoch ergibt sich kein einheitliches Bild. Das Fehlen einer stetigen Entwicklung ist unverkennbar. Die Romantik ist in hohem Maß von Diskontinuität geprägt, weshalb sie gewöhnlich in den Darstellungen untergliedert wird. Unterschiedliche Einteilungen, die sich z. T. sinnvoll ergänzen, stehen nebeneinander:

die zeitliche Unterteilung in eine stärker der Philosophie und Literaturkritik verpflichtete Frühromantik (1797–1804), in eine Hochromantik mit Dominanz historisch-politischer Interessen (nach 1805) und schließlich in eine Spätromantik (nach 1813);
die Unterscheidung nach den jeweiligen geistigen Zentren, also Jena (1796/1802)/ Berlin (1801/04), Heidelberg (1805/07), Berlin (1807/11);
eine Differenzierung nach Personengruppen (mit den Brüdern Schlegel, ihren Frauen Caroline und Dorothea, Tieck, Wackenroder, Novalis, Schelling, Schleiermacher, Steffens, Bernardi; mit Arnim, Brentano, Görres, Eichendorff, Loeben; mit Arnim, Brentano, Eichendorff, Kleist, Fouqué, Chamisso, A. Müller);
eine Ordnung nach den Zeitschriften als gemeinsamem Sprachrohr: ‚Athenäum‘ (1798–1800), ‚Europa‘ (1803/05), ‚Zeitung für Einsiedler‘ (1808), ‚Phöbus‘ (1808), ‚Berliner Abendblätter‘ (1810/11).

Schaut man sich an, inwieweit sich diese Unterteilungen decken, dann wird man wohl eine ältere Romantik, die weitgehend identisch mit der 'Frühromantik' ist, von einer jüngeren (ab 1805) trennen müssen.
Vorstellbar ist aber auch eine Gliederung, die ihre Einschnitte aus den politischen Zäsuren gewinnt. Ein solches Vorgehen erscheint um so sinnvoller, wenn man bedenkt, daß die Romantik in ihren Dichtungen

nicht autonom, wie sie es selbst meint, sondern in hohem Maß Begleit-
erscheinung der Zeitbewegungen ist. Folgende Abschnitte müßten gebildet werden: die Zeit der Koalitionskriege bis 1805; die Zeit der Napoleonischen Eroberungen und der Freiheitskriege bis zum Wiener Kon-
greß; die Zeit der Restauration nach 1815.

Die folgende Epochendarstellung wählt einen anderen Weg. In ihm
spiegeln sich zwar die Phasen der Romantik, das Verfahren ist jedoch
systematisch. In Kapitel 2, ‚Kunst- und Lebensanschauung‘, werden insbesondere die kunstkritischen Grundlegungen der Romantik behandelt,
in Kapitel 3, ‚Entgrenzungen‘, werden die psychologischen, historischen, geographisch-topographischen Ausweitungen der zeitüblichen
Wirklichkeitserfassung beschrieben, im letzten Kapitel, ‚Konfrontatio-
nen‘, werden Auseinandersetzungen der Romantiker mit der zeitgenössischen Wirklichkeit vorgestellt.

2 Romantische Kunst- und Lebensanschauung

Friedrich Schlegel: Athenäum-Fragmente (1798 und 1800)
Novalis: Fragmentsammlung Blüthenstaub (1798)
Logologische Fragmente (1798)
Joseph von Eichendorff: Wünschelrute (Gedicht. 1835)
Über die ethische und religiöse Bedeutung der neueren
romantischen Poesie in Deutschland (Abhandlung. 1846)
Wilhelm Heinrich Wackenroder: Von zwei wunderbaren Sprachen
und deren geheimnisvoller Kraft (1798) Ein wunderbares
morgenländisches Märchen von einem nackten Heiligen (1798)
Novalis: Die Lehrlinge zu Sais (1798)

2.1 Philosophische Prinzipien

Der 'subjektive Idealismus'. Die Frühromantik mit Fr. Schlegel und
Novalis ist philosophisch, doch mit Ausnahme von Schelling nicht systematisch eingestellt. Sie schließt in ihren Überlegungen an die klassisch-
idealistische Philosophie, besonders an *Johann Gottlieb Fichte*
(1762–1814) an. Dieser hatte mit seiner Lehre vom Menschen – nicht
Gott oder Natur – als dem Schöpfer des Seins den theoretischen
Anknüpfungspunkt für die Verherrlichung einer schrankenlosen Individualität geboten. Die Romantik löst den bei Fichte vorhandenen
Zusammenhang des tätigen Ichs mit der sinnlichen Außenwelt. Sie isoliert ferner den individuellen einzelnen, da sie die gemeinschaftsbezoge-
nen Aspekte der Fichteschen Lehre bezüglich des empirischen Ichs, die
Unterordnung des einzelnen unter die Erfordernisse der Gemeinschaft
als Wurzel aller Sittlichkeit, vernachlässigt. Sie reduziert zudem die Subjektivität auf die künstlerische Einzelpersönlichkeit. Damit knüpft sie
zugleich an die Genielehre des Sturm und Drang an.
In diesem Verständnis des 'subjektiven Idealismus' legt die Romantik
den Grundstein zu all den Problemen, die sie in dichterischen Versuchen
zu umschreiben und zu lösen sucht: die Propagierung des vor allem
phantasietätigen Menschen; die durch die Einbildungskraft des Dichters
erzeugten Welten der idealisierten Vergangenheit als einer neuen
Gegenwart und Zukunft; den zerrissenen, sich mit seiner zeitgenössischen Wirklichkeit uneins fühlenden und einsamen Menschen; den
Widerstreit zwischen Künstler und Bürger (Philister).
Die aktivistischen Impulse, die Fichte durch Rückführung des Seins auf
das Tun dem Bürgertum vermittelt hatte, weichen einer Rechtfertigung
der Tatlosigkeit:

„O Müßiggang, Müßiggang! Du bist die Lebensluft der Unschuld und der Begeisterung; dich atmen die Seligen und selig ist, wer dich hat und hegt, du heiliges
Kleinod! einziges Fragment von Gottähnlichkeit, das uns noch aus dem Paradiese
blieb." (Fr. Schlegel: ‚Lucinde‘, 1799.)

Die Welt als System.   Bedeutsam für das romantische Denken ist Schellings Versuch, die Natur in ihrer Gesamtheit als dialektische Selbstent-
faltung darzustellen. *Friedrich Wilhelm Schelling* geht in seinen ‚Ideen
zu einer Philosophie der Natur‘ (1797) von einer Identität des Systems
der Natur und des Systems des menschlichen Geistes aus. An die Stelle
der mechanischen Naturerklärung des Rationalismus nach dem Prinzip
der linearkausalen Betrachtungsweise tritt die teleologische Deutung.
Der Sinn der Naturgebilde wird in der Bedeutung gefunden, die diese im
Entwicklungssystem des Ganzen haben. An der Formenverwandtschaft
der organischen Welt – man beachte in diesem Zusammenhang die For-
schungen Goethes zur Morphologie – entwickelt Schelling die Einheit
des Plans, den die Natur als die uns sichtbare, voranschreitende Handlung des unendlichen Geistes verfolgt. Im System der Natur steht am
Ende das empfindende Wesen, der Mensch, in dem die ʻobjektiveʼ Vernunft, die Schelling an die Stelle der subjektiven Fichtes setzt, Organis-
mus wird.
Die Betrachtung der Natur als eines organischen Systems durch Schelling und seine Anhänger, den Physiker Ritter und den Naturphilosophen Steffens, eröffnet die Möglichkeit, die zeitgenössischen Entdek-
kungen und Fortschritte in den Naturwissenschaften (Elektrizität, Geologie, Chemie) in einen Zusammenhang zu bringen. Sie hat durchaus
Entsprechungen im Denken Kants, Fichtes und Hegels. Hegel jedoch
kritisiert scharf die „Unmethode" des Ahnens, des gefühlhaften Schlie-
ßens und enthusiastischen Bildens von Analogiereihen und beklagt den
Verzicht, Naturerfahrung einer klaren Begrifflichkeit und wissenschaftlichen Systematik zu unterwerfen.

Die ʻintellektuale Anschauungʼ.   Das von Schelling entwickelte Prinzip
der „intellektualen Anschauung" als des eigentlichen Erkenntnisorgans
hat besondere Bedeutung für den Religionsphilosophen Friedrich
Schleiermacher, für Novalis und für andere Frühromantiker. Fr. Schlegel vermerkt in seinen Fragmenten: „Die intellektuale Anschauung ist
der kategorische Imperativ der Theorie." Nicht Verstand, nicht Vernunft, sondern innere Anschauung bildet das Vermögen, „die himmlischen Dinge [. . .] zu erfassen und zu begreifen", wie Wilhelm Heinrich
Wackenroder schon vor Schelling in seinem Aufsatz ‚Von zwei wunderbaren Sprachen und deren geheimnisvoller Kraft‘ (1798) ausgesprochen
hatte. Wackenroder hatte aus dieser Erkenntnismöglichkeit gar eine
Pflicht gemacht: „Darf er [der schwache Mensch] die dunkeln Gefühle,

welche wie verhüllte Engel zu uns herniederschweben, hochmütig von sich weisen?" Auf die Anschauungen Schellings und besonders auch des Naturphilosophen, Theosophen und Geologen Franz von Baader hat Jakob Böhme (1575–1624), der von zahlreichen Frühromantikern schwärmerisch verehrt wird, mit seiner dynamischen Auffassung von der Natur und ihrer mystischen Erfassung eingewirkt. Aber auch der Einfluß Spinozas (1632–1677) in der Vermittlung durch Goethe ist spürbar.

Eklektizismus. System und Begriff sind den Romantikern wegen der damit verbundenen Beschränkung im Streben nach innerer Freiheit verdächtig. Ihrem sprunghaften Denken und Fühlen entspricht der momentane, oft hellsichtige Einfall in der Gestalt der kurzen Notiz oder des pointierten Aphorismus (Novalis: ‚Blüthenstaub', 1798; Fr. Schlegel: ‚Fragmente' 1798, ‚Ideen' 1800). Bestimmt ist ihr Denken vom Kontrast, vom Hervorkehren der Dualität als These und Antithese im dialektischen Progreß und von der um 1800 gerade aktuellen naturkundlichen Polarität in Elektrizität und Magnetismus. Im Punktuellen sind die Romantiker oft voller Witz und Verstand, voller Ironie und Phantasie zugleich. Das zeigt sich z. B. im ‚Athenäum', dem Hauptpublikationsorgan ihrer Reflexionen in den Jahren 1798–1800, weitgehend verfaßt und gestaltet von Fr. Schlegel. Die Tatsache, daß Novalis wie Schlegel sich ursprünglich gegenüber dem Gefühlskult von Wackenroder/Tieck und dem Mystizismus Schellings zurückhielten und die Verstandeskräfte gleich bewerteten („Witzige Einfälle sind die Sprüchwörter der gebildeten Menschen" oder „Witz als Prinzip der Verwandtschaften", ist zugleich das menstruum universale"), belegt die Spannweite und auch Widersprüchlichkeit der romantischen Prinzipien.

2.2 Kunstanschauung

Progressive Universalpoesie. Fr. Schlegel gibt im 116. ‚Athenäum'-Fragment eine Theorie der romantischen Poesie. Er bezeichnet sie als „progressive Universalpoesie", weil sie alle getrennten Gattungen der Poesie wiedervereinigt, Poesie, Philosophie und Rhetorik zueinander in Beziehung setzt, Poesie und Prosa, Genialität und Kritik, Kunstpoesie und Naturpoesie zu einer Gesamtkunst verbindet. Sie enthält alles, was nur poetisch ist, vom gehauchten Kuß bis zum umfassendsten ästhetischen System, sie ist ganz dem Dargestellten hingegeben und erhält doch in vollendeter Weise „den Geist des Autors", seine Individualität. Sie allein kann „ein Bild des Zeitalters" geben und zugleich dem Darstellenden die Freiheit zur poetischen Reflexion erhalten. Progressiv muß sie genannt werden, da sie als „der höchsten und der allseitigsten

Bildung fähig ... ewig nur werden" kann. Nur die romantische Dichtart ist unendlich und frei. Sie anerkennt, „daß die Willkür des Dichters kein Gesetz über sich" duldet. Die romantische Poesie ist identisch mit der Dichtkunst überhaupt.

Die Einschätzungen des ‚Wilhelm Meister'. **Schlegels** Dichtungstheorie ist in der Auseinandersetzung mit Goethes ‚Wilhelm Meister' (vgl. o. S. 80 f.) entstanden. Wesentliche Bestimmungen romantischer Poesie findet Schlegel in diesem Roman eingelöst. Das kann er freilich nur, weil er Aspekte und Dimensionen dieser Dichtung mißversteht oder bewußt umdeutet: Schlegel sieht in ihr „die Absicht des Dichters, eine nicht unvollständige Kunstlehre aufzustellen", hebt den allegorischen Charakter der Romangestaltung hervor, registriert eine über dem ganzen Werk schwebende Ironie, vermutet hinter wunderbaren Zufällen, weissagenden Winken und geheimnisvollen Erscheinungen die erhabenste Poesie und hält das Ganze „durch die Willkür eines bis zur Vollendung gebildeten Geistes gelenkt". Zuletzt versteht Schlegel sogar den Schluß des Romans als den eigentlichen „Mittelpunkt dieser Willkürlichkeit" und verkennt, daß in diesem Erziehungsroman Meister über Stationen des Irrens, der Passivität, der Wirklichkeitsferne zur sittlichen Vollendung geführt wird, die sich gerade im praktischen Wirken innerhalb einer tätigen Gesellschaft bewährt. Schiller hat diesen Punkt in einem Brief an Goethe (8.7.1796) bezeichnet:

„Wenn ich das Ziel, bei welchem Wilhelm nach einer langen Reihe von Verirrungen endlich angelangt, mit dürren Worten auszusprechen hätte, so würde ich sagen: Er tritt von einem leeren und unbestimmten Ideal in ein bestimmtes tätiges Leben, aber ohne die idealisierende Kraft dabei einzubüßen."

Genau in diesem Punkt scheidet sich die klassische von der romantischen Weltanschauung.

Das wird noch deutlicher an der negativen Beurteilung des Werks durch *Novalis.* Keinesfalls kann er, der die Schlegelschen Einschätzungen nicht teilt, in ihm ein Muster der romantischen Poesie erblicken. Er findet im ‚Wilhelm Meister' nur „eine poetisierte bürgerliche und häusliche Geschichte". In ihr geht das Romantische dadurch zugrunde, daß das Wunderbare „ausdrücklich als Poesie und Schwärmerei behandelt" wird, also Trennung statt Mischung vorliegt, auch dadurch, daß „Natur und Mystizismus" ganz vergessen sind und statt ihrer die Ökonomie über die Poesie, das Materielle über den Geist regiert. Das Werk ist seiner Meinung nach „eine Satire auf die Poesie, Religion etc.". Wenn Novalis an Goethe tadelt, daß er „die Musen zu Komödiantinnen, anstatt die Komödiantinnen zu Musen" macht, daß „Aventuriers, Komödianten, Mätressen, Krämer und Philister [...] die Bestandteile des Romans" sind, so finden wir hier als Kritik, was Novalis an anderer Stelle als programmatische Forderung formuliert hat:

„Die Welt muß romantisirt werden. So findet man den urspr[ünglichen] Sinn wieder. Romantisiren ist nichts, als eine qualit[ative] Potenzirung. Das niedre Selbst wird mit einem bessern Selbst in dieser Operation identificirt. So wie wir selbst eine solche qualit[ative] Potenzreihe sind. Diese Operation ist noch ganz unbekannt. Indem ich dem Gemeinen einen hohen Sinn, dem Gewöhnlichen ein geheimnißvolles Ansehn, dem Bekannten die Würde des Unbekannten, dem Endlichen einen unendlichen Schein gebe, so romantisire ich es [. . .]" (‚Logologische Fragmente', Nr. 105.)

Deutlicher noch als bei Schlegel ist hier der Anspruch einer Verwandlung der ganzen Welt, der Erschließung ihres ursprünglichen Sinns durch geistige Operationen des Ichs ausgesprochen. Kunstanschauung erweitert sich zur Lebensanschauung.

Unendlichkeit – Ironie und Fragment.   Der Unendlichkeit des Universums – als Kosmos und als Bewußtsein – und der Erfüllung menschlicher Bestimmung in der Zeitlosigkeit dieser Unendlichkeit entspricht das Bestreben romantischer Theoretiker, die Poesie offenzuhalten. Dies belegen vorzüglich ihre intensive Beschäftigung mit der Frage der Ironie und die Bevorzugung des Fragmentarischen.

Ironie.   Obwohl es üblich ist, von 'romantischer Ironie' zu sprechen, gibt es keine verbindliche Definition. Fr. Schlegel hat sich mehrfach zu ihrem Prinzip geäußert. Er begreift sie als paradoxe (polare) Gedankenführung, als das Zusammentreffen von Gegensätzlichem, als „Gefühl von dem unauflöslichen Widerstreit des Unbedingten und des Bedingten", demnach als Denkform, als Inhalt und als Wirkung.
Sie ist aber nicht nur Vehikel, das aus dem Gefühl „der Endlichkeit und der eigenen Beschränkung" (Schlegel) hinausführt, sondern zugleich Selbstkontrolle, „die Kraft, die dem Dichter die Herrschaft über den Stoff erhält" (Tieck).
Bei Novalis, der von „produktiver Imagination" spricht, wird Ironie bestimmt als „Schweben zwischen Extremen, die notwendig zu vereinigen und notwendig zu trennen sind". Nicht nur „producirt [sie] die Extreme", sie ist darüber hinaus „die Mater aller Realität, die Realität selbst".
Ironie ist also das Herrschaftsprinzip absoluter dichterischer Willkür und die Methode einer Annäherung an das Unendliche.

Fragment.   Novalis notiert einmal, daß die „Darstellung der Philosophie [. . .] aus lauter Themas – aus Anfangssätzen – Prinzipien" bestehe. In diesem Sinn formuliert er „Anfänge interessanter Gedankenfolgen", die er überarbeitet, bessert, „fortschreiten" läßt. Ihrer Unvollständigkeit, Vorläufigkeit und Unvollkommenheit bewußt, sieht er sich auf dem Weg zu einer umfassenderen Wahrheit. Die fragmentarische Form entspricht dem erreichten Zustand und verspricht den erforderlichen Fortgang: „Als Fragment erscheint das Unvollkommene noch am erträglichsten – und also ist diese Form der Mitteilung dem zu empfehlen, der noch nicht im Ganzen fertig ist – und doch einzelne merkwürdige Ansichten zu geben hat." Liegt für Novalis die Bedeutung des Fragments in seinem Charakter des Vorläufigen und Vorübergehenden, so wird es für Fr. Schlegel zum adäquaten Spiegelbild der Wirklichkeit. Oft aber legt das Fragmentarische eine Diskrepanz zwischen Kunstwollen und Leistung offen, wie vor allem die großen Romanversuche zeigen.

Kunstziel und Kunsthaltung: Eichendorff, Wackenroder, Novalis. Eine gedrängte Formel für die Haltung des romantischen Dichters zur Welt hat *Eichendorff* in seinem ‚Wünschelrute' (1835) überschriebenen Vierzeiler gefunden: „Schläft ein Lied in allen Dingen, / Die da träumen fort und fort, / Und die Welt hebt an zu singen, / Triffst du nur das Zauberwort." In seiner literaturhistorischen Abhandlung ‚Über die ethische und religiöse Bedeutung der neueren romantischen Poesie in Deutschland' (1846) schreibt Eichendorff noch präziser:

„[...] die arme, gebundene Natur träumt von Erlösung und spricht im Traume in abgebrochenen, wundersamen Lauten, rührend, kindisch, erschütternd, es ist das alte, wunderbare Lied, das in allen Dingen schläft. Aber nur ein reiner, gottergebener, keuscher Sinn kennt die Zauberformel, die es weckt." (Abschnitt ‚Brentano'.)

Poesie entbindet also die Natur, die den Menschen einschließt, von ihren Fesseln, Beschränkungen, Entstellungen; Poesie erlöst.
Bereits 1798 dichtet *Wackenroder* ‚Ein wunderbares morgenländisches Märchen von einem nackten Heiligen', in dem durch „ätherische Musik" „der Zauber gelöst und der verirrte Genius aus seiner irdischen Hülle befreit" wird. Er war gebannt in die Gestalt eines Heiligen, der angstvoll und rastlos das unaufhaltsame Rad der Zeit drehen mußte. Wackenroder entfaltet ein ätherisch-kosmisches Bild des durch poetischen Klang aus der Endlichkeit, d. i. aus Geschichte und Gesellschaft, entbundenen Menschen.
Ähnliche Gedanken wie Wackenroder bewegen wenig später *Novalis* in seiner fragmentarischen Dichtung ‚Die Lehrlinge zu Sais' (1798). Er hebt nicht so sehr die Überhöhung hervor, betont dafür stärker die Korrespondenz zwischen den Naturgegenständen und dem sprechenden, denkenden, ahnenden Ich. Sprache und Musik werden als die Kraft dargestellt, mit der es möglich ist, sich die Natur anzuverwandeln, sich der Natur einzuverleiben:

„[...] aber mir scheinen die Dichter noch bei weitem nicht genug zu übertreiben, nur dunkel den Zauber jener Sprache zu ahnen und mit der Phantasie nur so zu spielen, wie ein Kind mit dem Zauberstabe seines Vaters spielt. Sie wissen nicht, welche Kräfte ihnen untertan sind, welche Welten ihnen gehorchen müssen. Ist es denn nicht wahr, daß Steine und Wälder der Musik gehorchen und, von ihr gezähmt, sich jedem Willen wie Haustiere fügen? [...] Drückt nicht die ganze Natur so gut, wie das Gesicht, und die Gebärden, der Puls und die Farben, den Zustand eines jeden der höheren, wunderbaren Wesen aus, die wir Menschen nennen? Wird nicht der Fels ein eigentümliches Du, eben wenn ich ihn anrede? Und was bin ich anders als der Strom, wenn ich wehmütig in seine Wellen hinab-schaue, und die Gedanken in seinem Gleiten verliere? Nur ein ruhiges, genußvol-les Gemüt wird die Pflanzenwelt, nur ein lustiges Kind oder ein Wilder die Tiere verstehn."

Poesie ist welterschließend, Musik das eigentliche Wesen der Natur, der Dichter der Mittler. Es kann nicht verwundern, daß bei einer derartigen Funktionsbeschreibung von Dichtung und einer solchen Legitimation des Dichters Musik eine so hervorragende Bedeutung gewinnt. Nie zuvor in der deutschen Literatur wird Musik als Motiv, als Handlungse-lement, als Ausdrucksmittel so häufig, so intensiv, so konstitutiv ver-wendet. Neu ist der seine Gemütsverfassung heraussingende, der auf die mannigfaltigen Töne und Geräusche lauschende Held (Heinrich in Novalis' ‚Heinrich von Ofterdingen'; Eichendorffs Taugenichts). Das Akustische ist ein vorherrschender Zug: „Die Poesie ist Musik für das innere Ohr [...]" (Novalis), die Musik ist Seelenausdruck für das äußere. Daher hat man mit ihrer Entdeckung durch Wackenroder/Tieck (‚Herzensergießungen eines kunstliebenden Klosterbruders', 1796) seit je die Periode romantischer Literatur beginnen lassen. Die Einbezie-hung der Musik ist nicht gattungsgebunden. Sie spielt in der erzählenden Literatur eine gleich bedeutsame Rolle wie in der Lyrik (‚Ritter Gluck', ‚Kreisleriana', ‚Das Sanctus' u. a. von E. T. A. Hoffmann; ‚Die heilige Cäcilie oder die Gewalt der Musik' von Kleist).
Im Zentrum der dichterischen Bestrebungen der Romantik steht der Roman. Dennoch dominiert das Lyrische, und zwar in Form des schwär-merischen, phantasiebegabten und oftmals singenden oder musizieren-den Romanhelden, als Klangreiz in der Sprache, als Stilprinzip der glei-tenden Übergänge, als Motiv der sanften Beziehungen, sowie in der Verwendung von Musik, in der Mischung der Gattungen, in den gesun-genen Einlagen (Liedern). Das Lyrische entspricht am meisten dem Selbstverständnis vieler Romantiker: Sehnen statt Wollen, Träumen statt Handeln, Singen statt Arbeiten (‚Aus dem Leben eines Tauge-nichts').

3 Entgrenzungen

3.1 Wendung nach innen

Novalis: Hymnen an die Nacht (1799)
Gotthilf Heinrich von Schubert: Ansichten von der Nachtseite der
Naturwissenschaft (1808)   Die Symbolik des Traumes (1814)
Wilhelm Heinrich Wackenroder/Ludwig Tieck:
Herzensergießungen eines kunstliebenden Klosterbruders (1796)
Phantasien über die Kunst für Freunde der Kunst (1799)

Seit Novalis die Parole ausgegeben hat: „Nach innen geht der geheimnisvolle Weg" (‚Heinrich von Ofterdingen'), bemühen sich die romantischen Autoren darum, die „Wissenschaft der menschlichen Geschichte"
durch Beobachtung innerer Zusammenhänge voranzubringen. In ihrer
Fragestellung unterscheiden sie sich kaum von rationalistischen Psycho-
logen aus der Vätergeneration (z. B. Karl Philipp Moritz und Immanuel
David Mauchart: ‚Magazin für Erfahrungsseelenkunde', 1783–93), in
ihrer Methode jedoch fundamental. Novalis hat die Differenz in den
Wegen prägnant bezeichnet: „Der eine, mühsam und unabsehlich, mit
unzähligen Krümmungen, der Weg der Erfahrung; der andere, fast *ein*
Sprung nur, der Weg der innern Betrachtung." In einer Art Wesens-
schau wird „die Natur jeder Begebenheit und Sache gleich unmittelbar"
erfaßt. Dichterisches Vermögen ist imstande, dem Geschauten Ausdruck zu geben. Dichtung wird auf diese Weise nicht nur zu einer Wissenschaft neben anderen, sondern zur eigentlich zentralen.

3.1.1 Abkehr von der Tagwelt

Novalis: ‚Hymnen an die Nacht'.   Zu den charakteristischen Themen
der Romantik zählen die Nacht, der Schlaf, der Traum, der Tod. Novalis hat diese Thematik mit seinen ‚Hymnen an die Nacht' (1799) vorge-
geben. Als Vorbilder sind im Motivischen vor allem Edward Young mit
seinem Werk ‚The Complaint, or Night Thoughts' (‚Nachtgedanken',
1742–44), in der Haltung Klopstock und Hölderlin zu nennen; mysti-
scher und pietistischer Einfluß ist nachweisbar.
Die epochale Bedeutung dieser ‚Hymnen' liegt in ihrer rigorosen Propagierung menschlicher Daseinserfüllung im Jenseits, mit der sie eine
Wende innerhalb der deutschsprachigen Weltanschauungslyrik markieren. Aufklärung und Klassik hatten den Menschen aus den Ansprüchen
sowohl der christlichen Religion wie der feudalhierarchischen Ideologie
zu befreien gesucht, indem sie seine Selbstverwirklichung im Diesseits
zu begründen und literarisch zu gestalten trachteten.

Novalis jedoch knüpft an die christlichen Vorstellungen eines spirituellen jenseitigen Lebens an. Schlaf und Traum führen aus der Tagwelt hinaus in eine andere Welt, in der die tote Braut (Sophie von Kühn, † 1797) gegenwärtig, die mystische Vereinigung mit ihr möglich ist. Die Nacht ist auch Bild für den Tod, der das Tor zum ewigen Leben bedeutet. Sowohl der Weg nach innen wie der ins Jenseits werden im Nachthymnus beschritten. Deshalb beherrscht die ‚Hymnen‘ nicht die äußere Anschauung der Nacht, sondern ihre metaphysische Wesenserfahrung: „Abwärts wend ich mich zu der heiligen, unaussprechlichen, geheimnisvollen Nacht. Fernab liegt die Welt – in eine tiefe Gruft versenkt – wüst und einsam ist ihre Stelle" (erste Hymne). Die Welt versinkt in einer Gruft, nicht der tote Mensch, dessen Geist und Seele im Tod in „himmlische Freiheit" aufsteigen und eine „selige Rückkehr" in den „alten, herrlichen Himmel" (vierte Hymne) feiern.

Wenn Novalis die Mythenwelt durchschreitet, dann tut er es auf der Suche nach einer Lösung des existentiellen Todesproblems. Nicht die ästhetische Kompensation der Lebenssorgen bewegt ihn, wie er sie an der klassizistischen Ästhetik (Schiller: ‚Die Götter Griechenlands‘ – vgl. o. S. 74 ff.) kritisiert. Diese sucht mit Hilfe der griechischen Mythologie den schönen Schein eines archaischen, überschaubaren Lebenszusammenhangs zu wahren. Novalis hingegen wendet sich angesichts einer Gegenwart des Warentauschs und rationaler Wissenschaftlichkeit, die er als die Herrschaft der „dürren Zahl" und des „strengen Maßes" (fünfte Hymne) charakterisiert, nicht sehnsuchtsvoll rückwärts der griechischen Welt zu, sondern läßt ein neues Weltalter anbrechen. Die anfängliche Ineinssetzung von Nacht und persönlicher Liebesvereinigung wird auf die Menschheit ausgeweitet und mit Blick auf die Erlösungstat Christi in eschatologischer Heilsgewißheit formuliert: „Du bist der Tod und machst uns erst gesund" (fünfte Hymne). Christus hat nach christlicher Überzeugung den Tod besiegt; der Mensch kann daher der Aufhebung seiner Begrenztheit und Endlichkeit gewiß sein. Die Vorstellung einer unsterblichen Seele sichert die Unendlichkeit des Individuums. Der Geschichte eröffnen sich mit der Heraufkunft des Christentums neue Perspektiven.

Doch Novalis selbst gewinnt aus diesem Triumph über den Tod keine Kraft zur Gestaltung der geschichtlichen Welt, konkret: seiner Gegenwart. Mit Blick auf deren Endlichkeit fragt er zu Beginn der sechsten Hymne: „Was sollen wir auf dieser Welt / Mit unsrer Lieb’ und Treue. / Das Alte wird hintangestellt, / Was soll uns dann das Neue", um als Antwort die „Rückkehr" aus „dieser Zeitlichkeit" in die „Heymath" zu verkünden. Diese Heimat aber, „zeitlos und raumlos", ist die „Herrschaft" der Nacht, des Traums, des Rausches (zweite Hymne) und schließlich – in der Aufhebung der Geschlechtsgegensätze – die Vereinigung mit der Braut, mit Christus, im Tod.

Die literarischen Nachfolger von Novalis nehmen seine Thematik und
seine Motive auf. Seine metaphysische Durchdringung der Nacht erreichen oder aber erstreben sie nicht. Doch kaum einer von ihnen verzichtet auf die 'Nacht' als eine Zeit menschlicher Sinnenschärfe und gestei-
gerter Empfänglichkeit, als eine Zeit wundersamer Erscheinungen,
grauenvoller Ängste, aber auch der Selbsterfahrung und Welterkenntnis
(z. B. Klingemann: ‚Nachtwachen von Bonaventura‘, 1804; Hoffmann:
‚Nachtstücke‘, 1816/17; selbst Kapiteleinteilungen heißen 'Vigil').

Bewußtseinserweiterung. Die Rückkehr des Menschen im Schlaf zu seinen organischen Ursprüngen oder zu den jenseitigen Regionen fasziniert die ganze Generation. Die naturkundlichen Spekulationen und
Untersuchungen sind bestimmt vom Bemühen, Zugang zum Unbewuß-
ten zu finden. Dem Traum als einem Phänomen auf der Schwelle der
verschiedenen Bewußtseinsstufen, von dem Mediziner und Naturphilosophen Carl Gustav Carus als ein „Betätigen des Bewußtseins innerhalb der in die Sphäre des bewußtlosen Zustandes zurückgewandten
Seele" bezeichnet, gehört die besondere Zuwendung gerade auch der
romantischen Dichter. Nicht nur quantitativ (allein bei Hoffmann fast
600 Nennungen des Wortes 'Traum') ist die Rolle des Traums in romantischer Dichtung faßbar; in Dichtungen unterschiedlicher Gattungszuge-
hörigkeit sind Träume strukturbildend, in Tiecks Märchen (um 1800),
Novalis' Roman ‚Heinrich von Ofterdingen‘ (1802) und Brentanos
‚Romanzen vom Rosenkranz‘ (1803–12), in Kleists Drama ‚Das Käthchen von Heilbronn‘ (1808), Eichendorffs Roman ‚Ahnung und Gegenwart‘ (1815), Arnims Erzählung ‚Die Majoratsherren‘ (1820).
Die prognostische Bedeutung des Traums hat der Naturphilosoph Gotthilf Heinrich von Schubert in seinem Werk ‚Die Symbolik des Traumes‘
(1814) erforscht. Bedeutsam ist seine Ansicht einer allen Menschen
gemeinsamen Symbolsprache, durch welche die menschliche Natur „mit
einem anderen, Höheren oder Niederen, eins zu werden, Teil, Organ
desselben zu sein vermag".
In den ‚Ansichten von der Nachtseite der Naturwissenschaft‘ (1808)
behandelt G. H. v. Schubert weitere Zustände des Bewußtseins wie
tierischen Magnetismus, hypnotischen Somnambulismus, Nachtwan-
deln, Schlafwachen, Hellsehen, in denen er Möglichkeiten einer spirituellen Verbindung mit dem Übersinnlichen und einer telepathischen See-
lenvereinigung sieht. Auch im Wahnsinn wird entgegen der in der Zeit
üblichen Einschätzung nicht eine Phase geistig-seelischer Störung oder
des Persönlichkeitsverfalls gesehen; in Anknüpfung an alte, in die
Antike reichende Vorstellungen gilt er als ein Zustand, in dem außergewöhnliche Kräfte freigesetzt, Verbindungen zu anderen Welten hergestellt, prophetische Gaben entfaltet werden können.
Alle diese Phänomene, einschließlich Rausch, Besessenheit und

Bewußtseinsspaltung, haben besonders für die Dichtung E. T. A. Hoffmanns motivische und strukturelle Bedeutung erlangt (z. B. ‚Der goldne Topf', 1814, ‚Die Elixiere des Teufels', 1815/16, ‚Der Sandmann', 1816). Die Grenzen der bekannten Wirklichkeit werden überschritten, die erfahrbare Welt wird weit in bis dahin unbekannte psychisch-geistige Bereiche ausgedehnt.

Das Märchen, das Reales und Irreales nicht trennt, wird zu einer bevorzugten Form. Es gilt nicht nur in traditioneller Weise als eine Möglichkeit realitätsüberschreitender Wunschdarstellung, sondern als eine realistische Gattung, da es den Zusammenhang der eigentlichen, nämlich ganzen Welt wiederzugeben vermag.

Bewußtseinserweiterung in Traum, Rausch und Wahn ist eine zentrale Thematik der Romantik. Sie vor allem hat Nachfolger gefunden und weit über die deutschsprachigen Grenzen gewirkt, nachweislich z. B. auf Edgar Allan Poe und Charles Baudelaire.

Bergmetaphorik und Bergsymbolik. Die Naturphänomene, eingeschlossen der Mensch mit seinen Innenräumen, stehen untereinander in einem „lebendigen, mannigfaltigen Zusammenhange" (Novalis: ‚Heinrich von Ofterdingen'). Es ist daher selbstverständlich, wenn mit der Erforschung der geheimnisvollen Innenwelt der Berge – Ausbau der Bergakademien in Freiberg/Thüringen und Clausthal-Zellerfeld/Harz – den Romantikern mehr als bloße Analogien sichtbar werden. Die Arbeit des Bergmanns ähnelt nicht nur der des Seelenforschers und kann daher symbolisch verstanden werden, sie ist letztlich in die äußere Natur verlegte Seelenforschung. Im ‚Heinrich von Ofterdingen', in Tiecks ‚Runenberg' (1804), in Hoffmanns Erzählung ‚Die Bergwerke zu Falun' (1819) steht der geheimnisvolle Berg im Mittelpunkt. Die Bergleute in Falun z. B. finden tief im Berg eine unversehrte, jugendliche Leiche, die von einer steinalten Frau als ihr verschollener Bräutigam identifiziert wird. Bergarbeit legt demnach frühere Lebensphasen oder wie im ‚Runenberg' verborgene tiefenpsychologische Schichten frei. Bergabbau und Innenschau sind beide Bestandteil der Naturgeschichte; nicht zuletzt darin liegt für die Romantiker die Berechtigung ihrer Mischung.

3.1.2 Gefühlskult am Beispiel der ‚Herzensergießungen eines kunstliebenden Klosterbruders' von Wackenroder/Tieck

Bedeutsam für die romantische Haltung ist die Priorität, die Gemüt und Gefühl im Bereich der Kunstproduktion und Kunsterfassung, ja in der gesamten Lebenseinstellung einnehmen sollen. Zahlreich sind Äußerungen, in denen 'Gefühl' bzw. 'Gemüt' in ihrer zentralen Bedeutung bestimmt werden, z. B.: „Dem Zauberstab des Gemüts tat sich alles auf" (Schleiermacher); Poesie als „Darstellung des Gemüts – der inneren Welt in ihrer Gesamtheit" und als „Gemüterregungskunst" (Novalis).

Wackenroder und Tieck wenden sich in den ‚Herzensergießungen eines kunstliebenden Klosterbruders' (1796) entschieden gegen die zeitgenössischen Kunstdiskussionen, gegen Kunstbetrieb und Künstlerideal, in denen die ‘Vollkommenheit' des Kunstwerkes, also – nach damaligem Sprachgebrauch – seine Wahrheit und Schönheit, für Künstler und Kritiker verbindlich nach Regeln der Mathematik normiert werden. Dem rationalistisch geprägten Bemühen nach Deutlichkeit und größter Genauigkeit bei der Entwicklung objektiver Beurteilungsmaßstäbe setzen sie eine subjektivistische Auffassung entgegen. Nach ihr existiert die Kunst erstens als Idee im Geist des Künstlers, zweitens als Technik im Instrument, drittens ungeformt als Möglichkeit in der Materie. Da die künstlerische Idee bei ihrer materiellen Realisierung getrübt wird, gebührt einer Betrachtung der zugrunde liegenden Idee der Vorrang vor dem vollendeten Werk. Nicht die Analyse des Kunstwerkes, sondern die der Künstlergeschichte gibt über Größe von Künstler und Werk Aufschluß. Der wahre Künstler bildet allerdings seine Ideen nicht willkürlich aus, sondern ist Medium einer übernatürlichen Kraft. Folgerichtig wird Raffael, dem die Vollendung seiner Bilder in Träumen und Visionen eingegeben sein soll, als ein in hohem Maß religiöser Künstler gefeiert. Die Kunst steht im Dienst der Religion.

Aus diesem irrationalistischen Kunstverständnis ergibt sich die unmittelbare Forderung, Gemäldesammlungen nicht mehr als „Jahrmärkte", sondern als „Tempel" anzusehen, „wo man in stiller und schweigender Demut und in herzerhebender Einsamkeit" die Kunstwerke bewundern soll. „Sie sind nicht darum da, daß das Auge sie sehe; sondern darum, daß man mit entgegenkommendem Herzen in sie hineingehe, und in ihnen lebe und atme" (‚Herzensergießungen', Abschnitt ‚Wie und auf welche Weise man die Werke der großen Künstler der Erde eigentlich betrachten [. . .] müsse').

Dem überwiegend bürgerlichen Publikum wird damit ein von seinem höfischen Vorbild erheblich abweichendes Rezeptionsverhalten nahegebracht. Zugleich wird der Künstler zu einem Instrument der Gottheit befördert, der unmittelbaren Bevormundung durch Kritik und Publikum entrückt; es wird ihm Freiheit gegeben.

Wackenroder und Tieck erweitern in den ‚Phantasien über die Kunst' (1799) ihre Thematik um die Verherrlichung der Musik, die nach ihrer Auffassung imstande ist, Gefühle zu verewigen. Die auch in dieser Schrift verfochtene Identität von Kunst und Gefühl bestimmt das Kunstschaffen über Jahrzehnte. Sie hat die bürgerliche Kunstaneignung bis in unsere Zeit geprägt.

3.2 Rückwendung in die Vergangenheit

Novalis: Hyazinth und Rosenblüte, aus: Die Lehrlinge zu Sais
(1798)   Heinrich von Ofterdingen (entstanden 1799/1800,
veröffentlicht 1802)
Ludwig Tieck: Volksmärchen (1797)
Minnelieder aus dem Schwäbischen Zeitalter (1803)
Franz Sternbalds Wanderungen (1798)
Nibelungenlied (entstanden um 1210; gedruckt 1810)
Achim von Arnim/Clemens Brentano:
Des Knaben Wunderhorn (1805 und 1808)
Jacob und Wilhelm Grimm: Kinder- und Hausmärchen (1812/15/22)
Joseph Görres: Die teutschen Volksbücher (1807)
Achim von Arnim: Die Kronenwächter (1817)
Heinrich von Kleist:
Die Hermannsschlacht (1808; veröffentlicht 1821)

3.2.1 Die Kindheit des Menschen

Ideal der Kindlichkeit. Schon vor den Romantikern wenden sich z. B.
Hamann, Goethe, etliche Stürmer und Dränger gegen eine einseitige
Verstandeskultur und sprechen sich dafür aus, an die Stelle von Regel-
und Systemzwang, zeremonieller Lebensgestaltung, Hang zur Vielwisse-
rei, Unterdrückung von spontaner Gefühlsäußerung und Lustfeindlich-
keit mehr Kindlichkeit, Naivität, Einfachheit, Spontaneität und
Ursprünglichkeit zu setzen. Auch gewinnt die pietistische Tradition mit
ihrer Neigung, Jesu Forderung nach Kindlichkeit (z. B. Matth. 18, 3:
„Wenn ihr euch nicht bekehrt und werdet wie die Kinder [. . .]") wört-
lich und ernst zu nehmen, gegen Ende des Jahrhunderts an Einfluß.
Zudem wirkt z. B. über Rousseau die Anschauung vom Kind als einem
Wesen eigener Art und eigenen Wertes, dem Erwachsenen ebenbürtig
und gleichberechtigt, auf die Zeitgenossen ein.
Diese unterschiedlichen Stimmen gegen eine Erstarrung der Kultur werden von den Romantikern aufgenommen und gleichsam zu einem Ideal
der Kindlichkeit gesteigert. Clemens Brentano strebt zeit seines Lebens,
dieses Ideal zu erreichen; in seiner Schwester sieht er es in hohem Maße
verwirklicht. Bettina stilisiert allerdings ihr Verhalten den Erwartungen
entsprechend; ihre Veröffentlichung von 1835 nennt sie ‚Goethes Brief-
wechsel mit einem Kinde'. – Kindlichkeit gilt als ein so hervorragender
Wesenszug, daß er am Erwachsenen, wo immer möglich, betont wird.
Man kann im Lob der Kindlichkeit das beliebteste Lobschema der Zeit
um 1800 sehen.
Das Kind ist für Novalis, Tieck, Brentano, Hölderlin, Jean Paul, Doro-

thea Schlegel ein anbetungswürdiges, „himmlisches", ja „göttliches"
Wesen. Es wird als Repräsentant des Goldenen Zeitalters, des vergangenen und des künftigen, verehrt. Novalis schreibt z. B.: „Wo Kinder
sind, da ist ein goldenes Zeitalter" (‚Blüthenstaub', 97). Die Kinderzeit,
die bei Eichendorff durchgängig als „die alte schöne Zeit" erscheint,
wird – auch im Anschluß an Bemerkungen Schillers (‚Über naive und
sentimentalische Dichtung') – mit der eigenen Kindheit oder mit dem
Mythos der Kindheit identifiziert.

Die mythische Gestalt des 'Kindes' bei Novalis. Im Fragment ‚*Die
Lehrlinge zu Sais*' von Novalis erscheint ein Kind eines Tages unter den
Lehrlingen, dem der Lehrer sogleich „den Unterricht übergeben" will.
Sein ätherisches Aussehen, der Klang seiner Stimme läßt in den Lehrlingen den Wunsch nach völliger Hingabe wach werden. Sein Wesen ist in
den einzigen Satz gefaßt: „Es lächelte unendlich ernst." Der Lehrer
kann in der Gewißheit, daß die Zeit des Übergangs ein Ende haben
wird, die Zukunftsverheißung aussprechen: „Einst wird es wiederkom-
men [...] und unter uns wohnen, dann hören die Lehrstunden auf."
Dieses Kind, das wie ein Abgesandter einer höheren Welt auftritt, läßt
den Lehrling ahnen, daß er „innerlich", in sich mehr wird erfahren
können; es hinterläßt in ihm das Gefühl der „Verwandtschaft", der
Verwandlung und der Hoffnung („mir [wäre] am Ende vielleicht der
Busen offen, die Zunge frei geworden"). Dem von Novalis skizzierten
Fortgang zufolge sollte das Kind am Schluß im Zusammenhang des
endzeitlichen Jerusalem als „Messias der Natur" wieder auftreten. Novalis plante auch „die Aussöhnung der christlichen Religion mit der heidni-
schen" und sah für das Sais-Fragment vor, an die „Kosmogonien der
Alten" anzuknüpfen. Daher erscheint die Deutung annehmbar, daß sich
in diesem Kind christliche Vorstellungen mit solchen des ägyptischen Isis-
Kultes verbinden: Jesus und Horus, göttliche Kinder, Heilsbringer.

Novalis: ‚Hyazinth und Rosenblüte'. Der Lehrling, nicht zur Beglei-
tung des Kindes auserwählt, muß einen eigenen Weg finden. Die im
‚Natur' überschriebenen Teil des Fragments vorgetragenen Ansichten
über das Verhältnis von Natur und Mensch verwirren ihn; jede erscheint
ihm für sich berechtigt, untereinander widersprechen sie sich. Seine
Ratlosigkeit soll das Märchen von Hyazinth und Rosenblüte beenden.
Hyazinths Weg richtet sich nur scheinbar in die Ferne; denn das Märchen handelt von der inneren Reifung des fragenden, wißbegierigen und
sehnsuchtsvollen Menschen, der seiner Kindheit entwachsen und seinem
Einverständnis mit der Natur und seiner unschuldigen Liebe entfremdet
ist. Er sucht tastend die Natur auf neue Weise zu erfassen, kriecht dabei
in tiefe Schächte und sammelt in sich Bücherweisheit. Hyazinth gewinnt
aber die Freiheit, „die Mutter aller Dinge", „die verschleierte Jungfrau"

zu suchen, erst, nachdem eine „alte wunderliche Frau" das sein Leben
bis dahin bestimmende Buch, Abschiedsgeschenk eines fremden Leh-
rers, verbrannt hat. Er durcheilt nun sämtliche Naturformationen und
liest hingebungsvoll in dem allerorten aufgeschlagenen Buch der Natur,
überall nach der Göttin Isis fragend. Schließlich, vor ihrer göttlichen
Wohnung angelangt, schlummert er ein; ein Traum führt ihn in das
Innerste ihres Tempels. Indem er ihren Schleier hebt, sinkt Rosenblüt-
chen in seine Arme. Hyazinths Weg mündet in den Ursprung. Doch
handelt es sich um ein „liebendes Wiedersehn" und Wiederfinden in der
Steigerung zur „zweiten, höhern Kindheit", wie es analog im ‚Heinrich
von Ofterdingen' heißt. Nun hebt eine traute Zeit an, denn „alles
Fremde" ist verbannt. Hyazinth und Rosenblüte leben inmitten ihrer
vielen Kinder, jedes ein „sichtbar gewordner Keim der Liebe zwischen
Natur und Geist" – so Novalis in einem anderen Zusammenhang.

Das Goldene Zeitalter im ‚Heinrich von Ofterdingen' von Novalis. Novalis verkündet im ‚Heinrich von Ofterdingen' (1802) das Reich der
Poesie. Er bestimmt sie als die Kraft – ähnlich der Einheit stiftenden
Liebe –, das Auseinandertretende miteinander zu verbinden, die Wirklichkeit mit dem Märchenhaften als der höchsten Wahrheit, das Irdische
mit dem Überirdischen, das Endliche mit dem Unendlichen harmonisch
zu vereinigen. Vormals war alles Poesie, dereinst wird nach Durchdringung der Welt mit dem poetischen Geist alles wieder zu Poesie werden.
Diese Durchdringung macht den Weg Heinrichs aus; er vollzieht sich
zwischen Träumen, Märchen, Gesprächen und Begegnungen als ständi-
gen „Erinnerungen". Auf diese Weise wird Heinrich seines Inneren
gewahr; so ereignet sich auch die Einführung des geborenen Dichters in
sein Reich der Innerlichkeit und des Gemüts. Dabei werden die „Erinnerungen" zugleich zu „Ahndungen" des künftigen Zeitalters.
Der erste Teil des Romans, die ‚Erwartung', ist ein beständiger Weg
nach innen. Die Welt verwandelt sich in einen Traum, aus dem im
zweiten Teil, der ‚Erfüllung', eine neue Welt von mythischer Wirklichkeit geschaffen werden soll, in der die Zeit endgültig durch Zerstörung
des Sonnenreiches vernichtet ist und alle Jahreszeiten und Menschenal-
ter vereinigt sein werden.
Klingsors Märchen von Eros und Fabel bedeutet die Einweihung Heinrichs in die Geheimnisse der Zukunft; dem Leser gestattet es auch einen
Ausblick auf das fragmentarische Romanende. Schon die Gattungswahl
an dieser Stelle des Romans signalisiert den hohen Anspruch, denn
Novalis hatte gefordert: „Das echte Märchen muß zugleich prophetische
Darstellung – idealische Darstellung – absolut notwendige Darstellung
sein. Der echte Märchendichter ist ein Seher der Zukunft." Im Fortgang
des Romans war überdies der allmähliche Übergang in die einzig ad-
äquate Darstellungsform, die des Märchens, vorgesehen.

Das Handlungsgerüst des Märchens: Sophie hat sich von König Arctur, ihrem
Gatten, getrennt und das Reich verlassen, das in Eis versinkt. Während Eros (die
Liebe) ruhelos in der Welt umherschweift, begleitet von Ginnistan (der Phantasie), muß sich Fabel (die Poesie) der Anschläge durch den prosaischen 'Schreiber'
und die Parzen erwehren. Sie kann sich aus deren Gefangenschaft befreien. Es
gelingt ihr, eine neue Zukunft zu stiften, indem sie das ganze Reich befreit, den
gezähmten Eros mit Freya (dem Frieden) verbindet, Arctur mit Sophie versöhnt.
Fabel spinnt einen goldenen, unzerreißlichen Faden, Sinnbild ihrer nun unver-
gänglichen Herrschaft.

Der Mittelteil der allegorischen Handlung wird vom Kampf bestimmt,
den Fabel mit ihren Feinden führen muß: Sie überlistet 'Schreiber', den
Repräsentanten einer gefühllosen und bösen Antiromantik, und schafft
mit diesem Sieg über die falsche Aufklärung, deren Symbol die Sonne
ist, die Voraussetzung, die irregegangene Geschichte wieder in richtige
Bahnen zu lenken. Ihr Kampf gegen die Parzen hebt das Märchen aus
der Zeitproblematik in die universelle Thematik des irdischen Schicksals
überhaupt. Mit dem Triumph über die Parzen überwindet das *Kind*
Fabel – also die Poesie – Zeit und Tod und gründet „das Reich der
Ewigkeit, in Lieb' [Eros] und Frieden [Freya]", wie Fabel zum Abschluß
singt.

Runges Kindmalerei. Die von Novalis poetisch bearbeitete Thematik
gestaltet Runge mit den Mitteln der allegorischen Malerei. Runge
schreibt über den Sinn seiner Tageszeitendarstellungen:

„Der Morgen ist die gränzenlose Erleuchtung des Universums. Der Tag ist die
gränzenlose Gestaltung der Creatur, die das Universum erfüllt. Der Abend ist die
gränzenlose Vernichtung der Existenz in den Ursprung des Universums. Die
Nacht ist die gränzenlose Tiefe der Erkenntniß von der unvertilgten Existenz in
Gott. Diese sind die vier Dimensionen des geschaffenen Geistes."

In seinen Ölgemälden ‚Der Kleine Morgen' (vgl. Abb. gegenüber) und
‚Der Große Morgen' steht Aurora, die Göttin der Morgenröte, im Zentrum, von geflügelten Gottheiten umgeben. Die anbrechende Zeit, ver-
körpert durch das Kind im Vordergrund, erhält einen aktuellen Akzent,
wenn man in der Gestalt der Aurora nicht nur die antike Venus und die
christliche Maria, sondern auch die zeitgenössisch häufig thematisierte
Morgenröte als Freiheitsgestalt erkennt. Damit gewinnt die Rungesche
Kunst eine dem Entstehungsjahr 1808/09 angemessene konkret-utopi-
sche Dimension.

3.2.2 Dokumente aus der Kindheit des Volkes
Nach der Jahrhundertwende verstärkt sich das Interesse an der deutschen Vergangenheit und ihrer Literatur. Die Jakobinerherrschaft in
Frankreich hatte bei den meisten Romantikern den Zusammenbruch
ihrer demokratischen Jugendideale zur Folge; Napoleonische Beset-

Philipp Otto Runge: Der Kleine Morgen. Gemälde, 1808. Foto: Archiv für Kunst und Geschichte, Berlin (West)

zung, politische Ohnmacht der zersplitterten Territorien und das allgemein verbreitete Gefühl großer Erniedrigung des Vaterlandes führen – gleichsam als kompensatorisches Gegengewicht – zur Glorifizierung von vergangenen Geschichtsperioden deutscher Vormachtstellung in Europa. Auch Industrialisierung und fortschreitende Kapitalisierung des alltäglichen Lebens mit ihren Begleiterscheinungen eines gesteigerten Egoismus, einer sich ausbreitenden materiellen Denkweise bestärken die Romantiker in ihrer Rückbesinnung auf Zeiten vermeintlich einfacherer und ehrlicherer menschlicher Beziehungen und gesellschaftlicher Verhältnisse.

Die romantische Bewegung knüpft an Bemühungen Herders an, der das erwachende Nationalgefühl nach dem Siebenjährigen Krieg philosophisch und historisch durch Untersuchungen über den Volksbegriff, den Ursprung der Sprache, Lieder alter Völker u. ä. legitimiert hatte. Er wies dem bis dahin als finster geschmähten Mittelalter seinen Platz in der Entwicklung des Volkscharakters zu und entdeckte die mittelalterliche Literatur als eine wesentliche Quelle zu seiner Erforschung. 1778/79 gab Herder die ‚Volkslieder‘ heraus, eine Sammlung von Liedern aller Völker und Zeiten, an der u. a. auch Goethe und Lessing mitgearbeitet hatten.

Tiecks Bearbeitungen. Als erster lenkt Ludwig Tieck mit seinen ‚*Volksmärchen*‘ (1797) die Aufmerksamkeit auf die alten Stoffe; besonders mit der darin enthaltenen Märchenkomödie ‚Der gestiefelte Kater‘ und dem Märchen ‚Der blonde Eckbert‘ findet er in der literarischen Öffentlichkeit Beachtung. – Seine ‚*Minnelieder aus dem Schwäbischen Zeitalter*‘ (1803) gelten heute als das Pionierwerk der romantischen Erneuerungsversuche. Zum einen sieht Tieck in dieser mittelalterlichen Minnelyrik mit ihrem Reichtum an Formen, ihrer differenzierten Reimtechnik, ihrer strukturellen Dichte, ihrer vollendeten Musikalität die eigenen Vorstellungen vorbildlich verwirklicht. Zum andern entspricht das Bemühen um die alte Literatur seinem Konzept der „einen Poesie", das er in der Vorrede zu seiner Minneliedersammlung entwickelt:

„[...] es gibt doch nur Eine Poesie, die in sich selbst von den frühesten Zeiten bis in die fernste Zukunft, mit den Werken, die wir besitzen, und mit den verlorenen, die unsere Phantasie ergänzen möchte, sowie mit den künftigen, welche sie ahnden will, ein unzertrennliches Ganze ausmacht."

Nach seiner Vorstellung fördert die Lektüre älterer Literatur das Verständnis der gegenwärtigen Kunst, denn es „erklärt und ergänzt die alte Zeit die neue, und umgekehrt". Eine angemessene Vorstellung vom „Ganzen" gibt aber erst die umfassende Kenntnis. Das Interesse richtet sich demgemäß auf „Entstehung und Kenntniß der italienischen, spanischen, deutschen, englischen und nordischen Poesie" neben der des

Alterums, ist also in seinem Ansatz nicht national, sondern zeitlich und kulturell umfassend. Besonderes Gewicht kommt in diesem Zusammenhang den *Übersetzungen* aus älteren Sprachstufen und fremden Sprachen zu. Vor allem sind es *A. W. Schlegel* (mit Übersetzungen der meisten Werke Shakespeares, zwei Bänden mit Werken Calderons, Proben aus Dante, Tasso, Petrarca) und *Tieck* (mit der Übersetzung des ‚Don Quijote‘ von Cervantes), welche die Kenntnis nichtdeutscher Literatur fördern und zugleich maßgeblich an der Herausbildung unserer Vorstellung von Weltliteratur mitwirken.

Der Grundsatz der Bewahrung der Form erschließt der deutschen Literatur besonders in den Übersetzungen aus dem romanischen Sprachbereich bis dahin nicht gebräuchliche Strophen- und Versmaße. Das Bemühen wieder vor allem Tiecks, breiteren Volksschichten mittelhochdeutsche Literatur nicht um jeden Preis inhaltlich korrekt, dafür aber als klanglichen „Rausch von Freude und Lust" nahezubringen, findet nicht die Zustimmung der stärker wissenschaftlich ausgerichteten *Brüder Grimm*. Sie betonen den historischen Abstand und lehnen poetisierende Übersetzungen ab; sie fordern die Lektüre des Originals und lassen höchstens die völlige Umdichtung, wie sie Goethe im Versepos ‚Reineke Fuchs‘ vorgelegt hatte, gelten. Die Brüder Grimm stehen der Möglichkeit einer Wiederbelebung der mittelalterlichen Poesie wie überhaupt dem von Tieck propagierten Gedanken einer neuen Volksbildung durch die Lektüre von Volkspoesie („das Publikum zur Poesie erziehn") skeptisch gegenüber.

‚*Nibelungenlied*‘.   Eine zentrale Rolle im Literaturkonzept spielt von Anfang an das ‚Nibelungenlied‘. Seine Bearbeitung plant Tieck seit 1802; Schlegel erwägt 1803 einen „retouchierten Abdruck". Es erscheint schließlich 1810 in Friedrich von der Hagens Bearbeitung und 1814 in der Übersetzung durch August Zeune. In seiner ‚Rede über die Mythologie‘ (1800) beklagt Fr. Schlegel den fehlenden Mittelpunkt der zeitgenössischen Literatur („Wir haben keine Mythologie. Aber [. . .] wir sind nahe daran eine zu erhalten, [. . .] eine hervorzubringen"). Bald danach äußert Tieck: „[. . .] aus diesem Gedicht [‚Nibelungenlied‘], wenn man die Nordische Mythologie daran knüpft, kann vielleicht eine Art Ilias und Odyssee werden [. . .]" Er verspricht eine derart erweiterte ‚Nibelungen‘-Bearbeitung und gedenkt, so der Poesie ihre frühere Einheit mit der Mythologie wiederzugeben. – Doch nach 1806 wird diese kulturelle Zielsetzung von den politischen Ereignissen überholt. Patriotische, ja militärische Motive fördern die Verbreitung des ‚Nibelungenliedes‘, das gar 1815 als ‚kleine Feld- und Zeltausgabe‘ herausgebracht wird, „[. . .] da viele Jünglinge dies Lied als ein Palladium in den bevorstehenden Feldzug mitzunehmen wünschten [. . .]" (Zeune, im Jahre 1836).

Des Knaben Wunderhorn. Titelseite der Ausgabe aus dem Jahre 1808, Zweiter Teil. Foto: Bildarchiv preußischer Kulturbesitz, Berlin (West)

‚Des Knaben Wunderhorn‘. Angeregt durch die Tieckschen Unternehmungen, publizieren *Clemens Brentano* und *Achim von Arnim* in den Jahren 1805 und 1808 drei Bände ‚Des Knaben Wunderhorn‘: 722 alte deutsche Lieder überwiegend volkstümlichen Charakters aus dem späten Mittelalter und der frühen Neuzeit. Sie betrachten ihre Sammlung als die Errettung des Volksgesangs in letzter Stunde, zu einem Zeitpunkt, an dem die Welt sich bereits in ein großes „Arbeitshaus“ verwandelt habe.

Die gesammelten Lieder (Handwerker-, Soldaten-, Liebes-, Kinderlieder, religiöse Lieder) entspringen nach Ansicht der Herausgeber der Arbeit des Volkes und wirken stimulierend auf es zurück – ein Gedanke von politischer Tragweite angesichts der herrschenden rechtlichen Unfreiheit, der geistigen Bevormundung durch Staat und Kirche und der sich verstärkenden Arbeits- und Wirtschaftszwänge.

Charakteristisch für die Entwicklung des Literaturbegriffs durch die Herausgeber ist die Ineinssetzung von 'Volkspoesie' und 'Naturpoesie' als Schöpfungen einer eher idyllisch gedachten Gesellschaft. Literarische Kritik und Originalität des individualisierten Künstlers werden verworfen, statt dessen Verständlichkeit, weite Verbreitung und Wirksamkeit zu Wertkriterien erhoben. Kritisiert wird – in Arnims Aufsatz ‚Von Volksliedern‘ als ‚Begleitwort‘ zum ersten Teil – „das Bemühen der Kunstsänger zu singen, wie Vornehme gern reden möchten, ganz dialektlos“, getadelt wird die von Gelehrten in ihrer „Nichtachtung des besseren poetischen Teiles vom Volke“ betriebene „Sprachtrennung“. Ganz generell wird die Entfremdung der führenden Stände „von dem Teile des Volks, der allein noch die Gewalt der Begeisterung ganz und unbeschränkt ertragen kann, ohne sich zu entladen in Nullheit oder Torheit“, bemängelt.

Dieser auf Harmonie zielende, die vorhandenen geistigen und sozialen Widersprüche einebnende Volksbegriff hat, wiewohl historisch falsch, seine Wirkung auf die Zeitgenossen – am Vorabend der Befreiungskriege gegen Napoleon – nicht verfehlt. Impulse auf die politische Lyrik sind ablesbar z. B. in Ernst Moritz Arndts Sammlung ‚Bannergesänge und Wehrlieder‘ (1813) oder Theodor Körners ‚Leier und Schwert‘ (1814).

Die Wirkung des ‚Wunderhorn‘ auf die romantische Lyrik ist beachtlich. Die kritischen Stimmen wie Goethes Mahnung beim Erscheinen des ersten Bandes, „sich vor dem Singsang der Minnesänger, vor der bänkelsängerischen Gemeinheit und vor der Plattheit der Meistersinger sowie vor allem Pfäffischen und Pedantischen höchlich [zu] hüten“, oder Görres' Befürchtung, daß „die Subjektivität der Dichter [Arnim und Brentano] durchgedrungen und dabei etwas Fremdartiges der reinen Masse zugemischt“ sein könne, haben der Begeisterung keinen Abbruch getan. Namentlich Wilhelm Müller in seinen Zyklen ‚Die schöne Müllerin' (1820) und ‚Die Winterreise' (1823) – berühmt in ihrer Vertonung durch Franz Schubert –, Ludwig Uhland in Balladen und Gedichten, Heinrich Heine im ‚Buch der Lieder' (1827) und besonders Eichendorff nehmen den volkstümlichen Ton, aber auch Bilder, Sprachformeln und Stimmungen auf, variieren sie, bilden sie weiter. Als Beispiel für diesen Vorgang der schöpferischen Weiterbildung sei hier auf Eichendorffs Verse vom ‚Zerbrochenen Ringlein' („In einem kühlen Grunde, / Da geht ein Mühlenrad"), entstanden um 1810, hingewiesen, das die zweite Strophe von des ‚Müllers Abschied' („Da unten in jenem Tale, / Da treibt das Wasser ein Rad") aus dem ‚Wunderhorn' fortspinnt; wenige Jahrzehnte später wird es selbst für ein Volkslied gehalten.

‚Kinder- und Hausmärchen'. Angeregt durch das ‚Wunderhorn', geben die Brüder *Jacob* und *Wilhelm Grimm* nach jahrelanger Arbeit des Sammelns, nach textkritischen Untersuchungen zur Herstellung der reinsten und reichsten Grundform, nach sorgsamer Redaktion des Ganzen drei Bände ‚Kinder- und Hausmärchen' (1812/15/22) heraus. Die Grundsätze, die sie in der Kritik an der Herausgebertätigkeit von Tieck und Arnim/Brentano formuliert haben, können die Grimms nicht immer mit ganzer Strenge verwirklichen. Vielleicht hat aber gerade die poetische Leistung, die in der freien Umbildung und Verlebendigung der überlieferten Stoffe, aber auch in Tilgung von Tabuiertem sowie in der Harmonisierung allzu krasser sozialer Gegensätze, in der Bevorzugung der Hochsprache vor der Mundart zutage tritt, also das, was den charakteristischen 'Grimmschen Märchenstil' ausmacht, wesentlich zum enormen Erfolg der Sammlung als Lese- und Erzählstoff für Menschen jeden Alters beigetragen. Der wissenschaftliche Anteil, vor allem in Anmerkungen und Textvarianten im dritten Band, hat die Sammlung zum Grundstein einer bis heute nicht beendeten Forschungsarbeit gemacht.

‚Die teutschen Volksbücher'. Aus eng verwandtem Geist hat 1807 *Joseph Görres* ‚Die teutschen Volksbücher' publiziert. Es handelt sich um „das erste umfassende kritische Werk über ältere deutsche Literatur", wie ein Sachkenner 1810 schreibt. Görres hatte die auf den ersten Blick bunte Sammlung von „Historien-, Wetter- und Arzneybüchlein" nicht nur zusammengebracht, sondern jedes Stück nach Inhalt und Geschichte vorgestellt, kommentiert und knapp charakterisiert. Bezeichnend auch hier der weite Begriff 'Volksbuch', der eine Vielzahl populärer, nach Herkunft, Inhalt und Form aber ungleichartiger Texte abdeckt: Unter den Historien finden sich Heldendichtung und Ritterepen in der Gestalt des Prosaromans, Heiligenlegenden, eine Reisebeschreibung, historische Erzählungen, Handwerksbüchlein; daneben meint 'Volksbuch' auch Bauernregeln, Gesundheitsbüchlein, Traum- und Zauberbücher. Wenn Görres auch nicht alles uneingeschränkt wertschätzen und empfehlen kann (Traum- und Zauberbuch hält er für „Unsinn" und polizeilich zu verbieten), so bezeichnet er doch das meiste als „gewissermaßen den stammhaftesten Theil der ganzen Literatur". Die poetische Überlegenheit dieser Literatur – ganz analog zu Volksliedern und -märchen – resultiert aus ihrem Alter und aus ihrem nicht durch Standesschranken oder Sprachbarrieren begrenzten „Wirkungskreis". In Görres' Hochachtung vor der geistigen Kraft der „untern Volksklasse", seinem Verständnis und Mitgefühl mit den „gedrückten Bauern", seiner Sympathie für den „Volksnarr[en]" und „plebeyischen Tribun in der Schellenkappe", den Eulenspiegel, drückt sich seine wahrlich demokratische Gesinnung jener Jahre aus. Vergangenheitsbezogenheit entbehrt hier jeder Rückschrittlichkeit; sie enthält noch die politische und soziale Sprengkraft eines aus der Literatur gewonnenen neuen Selbstvertrauens und nationalen Stolzes. Befreiung und Wiedergeburt unter Einschluß der unverbrauchten kulturellen und moralischen Kräfte der „untern Volksklasse" bedeuten noch nicht den Einsatz der Vielen zur Wiederherstellung feudaler Macht.

3.2.3 Mittelalterbegeisterung

Heines Kritik.   Wesentlich haben Heines Äußerungen in der ‚Romantischen Schule' (1836) die Vorstellung von einer altertümlichen, ja reaktionären Mittelalterbegeisterung bilden helfen. Dort schreibt er über die vielgelesenen Romane, Rittergeschichten und -dramen des populären Friedrich de la Motte-Fouqué (1777–1843):

„Die retrograde Richtung, das beständige Loblied auf den Geburtsadel, die unaufhörliche Verherrlichung des alten Feudalwesens, die ewige Rittertümelei mißbehagte am Ende den bürgerlich Gebildeten im deutschen Publikum, und man wandte sich ab von dem unzeitgemäßen Sänger. [...] als der ingeniose Hidalgo Friedrich de la Motte-Fouqué sich immer tiefer in seine Ritterbücher versenkte und im Traume der Vergangenheit das Verständnis der Gegenwart einbüßte, da mußten sogar seine besten Freunde sich kopfschüttelnd von ihm abwenden."

In der Tat sind durch Fouqués Mittelalterdarstellung einem breiten Publikum Ideale erweckt worden, die einer fortschrittlichen Erneuerung gesellschaftlicher Ordnungen und staatlicher Organisation nach der Befreiung von der Napoleonischen Herrschaft nicht zuträglich sein konnten.

Doch tut man der romantischen Bewegung insgesamt unrecht, wenn man von diesen relativ späten – wenn auch wirksamen – Dichtungen her sein Urteil bildet.

Die Bedeutung des 'Mittelalters' im ‚Heinrich von Ofterdingen' von Novalis.   Bereits in der geschichtsphilosophischen Schrift ‚Die Christenheit oder Europa' (1799) interpretiert Novalis das „christliche" Mittelalter als harmonische Vorzeit zur wirren Gegenwart. Er zielt dabei nicht auf die Rekonstruktion eines real-historischen Mittelalterbildes, sondern verwendet geschichtliche Materialien zur gleichnishaften Darstellung einer geistigen Wahrheit.

Auch ‚Heinrich von Ofterdingen' (1802) ist kein historischer Roman. Überhaupt sind konkret historische Bezüge von Raum und Zeit verhältnismäßig bedeutungslos in einem Werk, das gerade in der Darstellung des Wesens der Poesie auf die Aufhebung von Raum und Zeit hinarbeitet. Allerdings gilt das Mittelalter Novalis als „eine tiefsinnige und romantische Zeit [. . .], die unter schlichtem Kleide eine höhere Gestalt verbirgt". Um diese „höhere Gestalt" geht es ihm.

Novalis verwendet spätmittelalterliches Quellenmaterial (Johannes Rothes ‚Düringische Chronik', um 1415) und stützt sich auf Mittelalterstudien zu Kaiser Friedrich II. Bezeichnenderweise wählt er als zentrale Gestalten für seinen Roman die sagenhaften Sänger Klingsor und Heinrich von Ofterdingen, literarische Hauptgestalten im ‚Sängerkrieg auf der Wartburg' (um 1250), deren historische Existenz und deren Wirken bis heute dunkel sind. In das Romankonzept spielt auch die Novalis vertraute thüringische Volkssage vom Kyffhäuser, die sich ursprünglich an den letzten großen Stauferkaiser, Friedrich II., knüpft: So sollte sich der Held des Romans, Heinrich, nachdem er die Heldenzeit und das Altertum kennengelernt und das Morgenland durchreist und erforscht hatte, an den Hof Friedrichs II. begeben. Die „Sehnsucht nach dem Kyffhäuser", durch ein altes Lied erweckt, sollte dann Heinrich mit Klingsors Hilfe in das Innere des Berges führen, wo er nicht nur die schlafende Mathilde, ihr gemeinsames Kind und die blaue Blume findet, sondern auch den an der Krone fehlenden Karfunkelstein, ein „altes talismanisches Kleinod", entdeckt, dessen Rückkehr das „künftige Kaiserhaus" erlöst. – An Friedrich II. scheint Novalis die ideale Verbindung von Macht und Geist, abend- und morgenländischer Kultur fasziniert zu haben. Sie hat seiner Absicht einer Verknüpfung der „entferntesten und verschiedenartigsten Sagen und Begebenheiten" und seiner Vorstellung eines Endkaisers und einer Endzeit, gekennzeichnet durch die Aussöhnung der Religionen, die Verschmelzung der Kulturen, die Aufhebung der Zeiten, Jahreszeiten und Lebensalter, einen historischen Ausgangspunkt gegeben.

Wackenroder/Tieck: ‚Franz Sternbalds Wanderungen'. Dieses Werk wurde als Gemeinschaftsarbeit mit Wackenroder geplant und nach dessen Krankheit und Tod 1798 von Tieck allein ausgeführt. Es handelt sich um den Versuch, einen romantischen Künstlerroman in unverkennbarer Orientierung an Goethes ‚Wilhelm Meister' als dem wegweisenden Muster des neueren Bildungsromans zu verfassen.

Franz Sternbald, Schüler Albrecht Dürers, verläßt Nürnberg, „um in der Ferne seine Kenntnisse zu erweitern und nach einer mühseligen Wanderschaft dann als ein Meister in der Kunst der Malerei zurückzukehren". Seine Reise führt ihn durch Deutschland, die Niederlande, über Straßburg nach Florenz und Rom. Er verkehrt mit Bauern, Handwerkern, Fabrikanten, mit Kunstliebhabern und Aristokraten; er empfängt u. a. seinen Wirklichkeitssinn stärkende Ratschläge von Dürer, erfährt aber auch durch den romantischen Bohemien Florestan Anleitung zu erotischem Lebensgenuß und Unterweisung über die Sinnlichkeit der Kunst. Der mit dem Vorsatz, „immer ein Kind [zu] bleiben", aufgebrochene Sternbald entwickelt sich im Verlauf seiner Reise zu einem kunstverständigen und welterfahrenen jungen Mann. In Rom findet er überraschend seine ihm zu Beginn der Wanderschaft wiedererschienene Geliebte aus der Kindheit. Damit endet der Roman vorzeitig, ohne daß Tiecks Plan, Sternbald an den Ausgangspunkt Nürnberg zurückzuführen, vollendet ist.

Der Roman hat den Untertitel ,Eine altdeutsche Geschichte'; die Handlung ist in den Anfang des 16 Jh.s gelegt. Doch ist die historische Wirklichkeit dieser Zeit nicht besonders deutlich ausgeprägt. Den Leser erinnern in erster Linie das Auftreten oder die Erwähnung von Personen wie Dürer, Pirckheimer, Lucas von Leyden, Holbein und die Nennung einiger ihrer bekannteren künstlerischen Arbeiten an die altdeutsche Zeit. Die Jahrhundertwahl hängt mit dem Kunst- und Künstlerideal zusammen, wie es in den Dürer-, Raffael- und Leonardo-Aufsätzen der ,Herzensergießungen' und der ,Phantasien über die Kunst' entwickelt ist. In diesen Idealvorstellungen durchdringen sich Kunst und Alltagsleben noch weitgehend gegenseitig in einer insgesamt als harmonisch und idyllisch skizzierten, vorzüglich bürgerlichen Gesellschaft. Aus dieser Realitätsverkennung gewinnt Tieck im ,Franz Sternbald' ein utopisches Gegenbild zur problematischen Situation des Künstlers in der Gegenwart.

Von Arnim: ,Die Kronenwächter'.   Dieser Roman Achims von Arnim, Teil eines umfangreicheren Werkplans, 1817 erschienen, spielt gleichfalls im 16. Jahrhundert.

Der Geheimbund der Kronenwächter hütet die Kaiserkrone. Vergeblich sucht er Abkömmlinge der Hohenstaufen (Berthold im ersten, Anton im zweiten Teil) auf die Wiederherstellung des Stauferreiches vorzubereiten. Berthold scheitert, weil er in seinem „zweiten Leben", das ihm mittels einer Bluttransfusion durch den Doktor Faustus gegeben ist, von seiner ehemals bürgerlichen Lebensbahn abweicht, indem er nach einem veräußerlichten ritterlichen Lebensstil strebt. Nach Bertholds Tod bei einer Besichtigung der Hohenstaufengräber in Lorch tritt an seine Stelle der Maler Anton. Nach vielen Abenteuern lernt er seinen Vater kennen, der ihm die Geschichte seines Geschlechtes mitteilt. Anton, zum Hüter der Hohenstaufenkrone ausersehen, verzichtet unter dem Eindruck seiner Erfahrungen auf dieses Amt. Nach einer erhaltenen Notiz zu diesem nur skizzenhaft ausgeführten Teil sollte Anton am Ende die Burg der Kronenwächter zerstören.

Die Krone aber, Symbol der Volkserneuerung und nationalen Einheit, muß weiter aufbewahrt werden, bis „ein von Gott Begnadeter alle Deutschen zu einem großen, friedlichen gemeinsamen Leben vereinigen wird".

Man hat Arnim wegen der detaillierten Materialsammlungen zu Bauten, Trachten und Geräten, zu Sitten, Bräuchen und Lebensformen und wegen der angestrebten historischen Genauigkeit als den Antiquar unter den romantischen Dichtern bezeichnet. Doch steht nicht die Rekonstruktion vergangener Wirklichkeit im Zentrum seiner Bemühungen. Ihm geht es wesentlich um Geschichtsphilosophie, in welcher der Mythos den ihm von der Romantik zugewiesenen Platz weiterhin einnimmt. Auch Arnim verarbeitet die Kyffhäusersage, die er auf Friedrich I. (Barbarossa) bezieht. Sie ist ihm Ausdruck der im Volk lebendigen Zukunftshoffnungen. Vordergründig scheint es sich um eine Dichtung zu handeln, welche die nach 1815 verstärkt restaurativen Tendenzen stützt. Doch unübersehbar ist Arnims Kritik an der zeitgenössischen Verbindung von herrschsüchtiger Bürokratie und starr reaktionärer Haltung der 'altadligen Fronde' in Preußen, „welche blind an eine notwendige Rückkehr derselben Verhältnisse glaubte, die lange ihnen bequem gewesen" (‚Gräfin Dolores', 2. Abt., 18. Kap.). Arnim erkennt die unmittelbare Gefahr, die von allen geschichtsmythischen und heilsgeschichtlichen Konstruktionen ausgeht, wenn die dem Mythos innewohnende Hoffnung zur bloßen Legitimierung von Machtstreben und Macht mißbraucht wird. Im Unterschied zu Novalis und dem Tieck des ‚Sternbald' bewahren ihn aber auch umfassende Kenntnisse und stärkerer Realitätssinn vor einer unkritischen Idealisierung des Spätmittelalters. „Wir fühlen, daß die alte Zeit nicht viel taugte und die neue nicht vollendet ist." – Der Fortgang der Geschichte nach 1813 bringt nicht die von Arnim erhoffte Vollendung. Er muß schmerzlich erkennen, daß die Nation ihre Einheit auf der Grundlage einer ständisch-liberalen Verfassung in einem monarchisch-konstitutionellen Staat nicht gewinnt. Das Romankonzept büßt seine aktuelle Bedeutung ein. Die in Arnim aufkommende Resignation verhindert eine Fortführung des Romans.

Kleist: ‚Die Hermannsschlacht'.   Kleist, der ja auch im ‚Michael Kohlhaas' und im ‚Prinz Friedrich von Homburg' anhand von geschichtlichen Ereignissen aktuelle Einsichten zu vermitteln sucht, will mit dem Tendenzdrama ‚Die Hermannsschlacht' (1808; veröffentlicht 1821) den patriotischen Kräften ein Lehrstück für ihren Kampf gegen Napoleon schaffen. Mit der Darstellung der Vorbereitungen und des Ablaufs der siegreichen Schlacht der vereint kämpfenden Cherusker und Sueven über die Römer im Teutoburger Wald (9 n. Chr.) erteilt er in dichterischer Form Preußen und Österreich einen gleichsam geschichtlich vorgezeichneten Handlungsauftrag. Direkte Lehren werden aus der

Geschichte gezogen; in unmittelbarer Gleichsetzung ähnlicher historischer Konstellationen wird das Gebot eines Verteidigungs- und Befreiungskrieges verkündet. Geschichte dient der Legitimierung gegenwärtiger Tat.

3.3 Räumliche Entgrenzung

> **Ludwig Tieck:** Der blonde Eckbert (1796)
> **Joseph von Eichendorff:** Sehnsucht (Gedicht. 1834)
> Aus dem Leben eines Taugenichts (1826)

3.3.1 'Waldeinsamkeit'

Im Europa der Jahrhundertwende dominiert eine ausbeuterische Einstellung zu den Schätzen der Natur. Die im Gefolge rationaler, systematischer Nutzung der Naturkräfte sich entwickelnden Industrien (Glas, Porzellan, Eisen) verschlingen zum Antrieb von Maschinen und beim Verhütten riesige Mengen von Holz, so daß im ausgehenden 18. Jahrhundert der gesamte Waldbestand von der Vernichtung bedroht ist. Die Entwaldungsgefahr, der man durch Dekrete in Belgien (1723), in Frankreich und verschiedenen deutschen Staaten frühzeitig zu begegnen sucht, erregt allenthalben die Gemüter aufs heftigste. Hundert Jahre später meint der Volkswirtschaftler Sombart, daß „der Mangel an Holz die Frage der europäischen Kultur war, deren Entscheidung für diese vielleicht bedeutsamer war als die andere, die die Zeit bewegte: ob Napoleon Sieger bleiben werde oder die verbündeten europäischen Mächte".
Die öffentliche Erregung spiegelt die Sorge, künftig auf den wichtigsten Rohstoff, auf Holz, verzichten zu müssen. Sie entspringt nicht ökologischen Überlegungen, erst recht keiner Naturliebe, sondern entspricht – mit anderem Vorzeichen freilich – dem rational-ökonomischen Zeitgeist, der auch die Ausbeutung bewerkstelligt.

Im ersten Jahrzehnt setzt die planmäßige Aufforstung ein. Diesen zweckgerichteten Unternehmungen gibt die Romantik sowohl in ihrer Naturphilosophie (Schelling; Novalis) einen über das Ökonomische hinausweisenden Sinn wie auch in der Emotionalisierung der Naturphänomene einen lebendigen Bezug.
Die vom Großstädter Tieck stammende Wortbildung 'Waldeinsamkeit' (‚Der blonde Eckbert', 1796) wird zu einem Schlagwort der Romantik, weil sie programmatisch dem Wald eine emotionale Qualität zuspricht und ihn in enge Beziehung zu den menschlichen Gemütsbedürfnissen setzt. Dabei richtet sich implizit die Entdeckung der Natur als einer neuen Lebensqualität gegen die Stadt als Inbegriff der Zivilisation; und der Preis der Einsamkeit des einzelnen inmitten von Wald und Feld zielt gegen die städtischen Menschenansammlungen (die Bevölkerung z. B. Berlins, der „Stadt der Soldaten und Manufakturen", versechsfacht sich

im 18. Jh.). Im Bewußtsein einer größeren Öffentlichkeit wird schon zwei Jahrzehnte später Eichendorff, der an die Frühromantik anschließt, vor allem mit einigen Liedern (z. B. ‚Der Jäger Abschied‘; ‚Abschied‘) zum Sänger des Waldes schlechthin.

Der Mensch tritt in eine gefühlsmäßige Bindung zur Natur; darüber hinaus glaubt Bettina von Arnim, daß auch die Natur des Menschen bedürfe und lebendig an ihn herangehe, ja um Erlösung bitte. Der Naturphilosoph G. H. v. Schubert schreibt den Tieren unsterbliche Seelen zu.

Obwohl in endlosen Variationen von großer Suggestivkraft die Wechselwirkung zwischen der Seele des Menschen und den Kräften der Natur beschrieben wird, ist nur selten von der beschädigten Natur die Rede: Einmal ist in Chamissos ‚Peter Schlemihl‘ (9. Kap.) der verwüstete Wald erwähnt. Seine Zerstörung wird Naturkräften zugeschrieben, hier einem Bergbach. Doch geht man nicht fehl, die von „dem sonnenhellen Raum" natürlicherweise ausgehende Gefahr einer Entdeckung des fehlenden Schattens als eine Gefährdung überhaupt zu interpretieren. Bezeichnenderweise gibt es „die *Geschichte* dieser Verwüstung" zu erzählen; das ist ein Hinweis auf etwas anderes als eine Naturkatastrophe, nämlich auf Menschenwerk. – Eichendorff läßt die allegorische Gestalt Libertas (‚Libertas und ihre Freier‘, 1849) im Gespräch über die ehemals schönen Wälder ihrer Heimat bemerken: „Da ist viel abgeholzt seitdem, das wächst so bald nicht wieder nach auf den kahlen Bergen." Hier wird ausdrücklich Kritik an der selbstherrlichen Nutzung und Zerstörung der Natur geübt. Aber derartige Äußerungen sind nicht eigentlich Sache der Romantiker; auch bei Eichendorff findet sie sich erst in einem Märchen um die Jahrhundertmitte. Die Romantiker sprechen indirekt von dem, was sie bedrückt, indem sie Gegenwelten ersinnen. Daher darf der übermächtigen Bedeutung, die der Wald als Naturmetapher besitzt, zugleich auch ein zeitkritischer Gehalt unterstellt werden.

3.3.2 Fernweh und Wanderlust

Heimat und Ferne. Fernweh und Wanderlust bestimmen zahlreiche romantische Helden, so Franz Sternbald (Tieck), Heinrich von Ofterdingen (Novalis), Florentin (Dorothea Schlegel), Christian im ‚Runenberg‘ (Tieck), Peter Schlemihl (Chamisso), Taugenichts (Eichendorff). Auch in vielen Liedern wird die Sehnsucht nach der Ferne besungen (Wilhelm Müller: ‚Die schöne Müllerin‘; Tieck: ‚Sehnsucht‘; Eichendorff: ‚Der frohe Wandersmann‘, ‚Allgemeines Wandern‘, ‚Nachts‘, ‚Der verliebte Reisende‘).

Aus der Enge ihrer Lebensverhältnisse machen sich die Helden auf, eine Welt zu suchen, die – hervorgelockt durch alte Lieder oder geheimnisvolle Andeutungen – als Ahnung oder sehnsüchtiger Traum in ihrer Phantasie entstanden ist. Nur eines geringen Anstoßes bedarf es jeweils,

und es wird Abschied genommen von einem treuen Freund, einer lie-
benden Mutter, einem verehrten Meister. Eine durch Familiensitte und
gesellschaftlichen Brauch vorgezeichnete, zumeist auch gesicherte Existenz wird gegen ein vages Reiseziel, ein Leben in der Fremde, eine
ungewisse Zukunft getauscht.

Das gibt Veranlassung zu vielen Fragen, deren Beantwortung gelegentlich mehr erfordert als Werkkenntnis: Wie stark müssen Neugierde,
Wissensdurst sein, die diese Helden Familie und Heimat, Geborgenheit
und Nähe, Sicherheit und Orientierung aufgeben lassen? Oder sind etwa
diese 'Heimatwerte' mit anderen Akzenten versehen, weil vielleicht die
Familie als beengend, die Heimat als öde erscheint, die Geborgenheit
Einschluß, die Nähe Beschränkung bedeutet, Sicherheit durch Einordnung in einen krämerhaften oder bürokratischen Alltag erkauft werden
muß und Orientierung die Lebensperspektive eines Philisters verlangt?
Der Aufbruch der Romangestalten wird in der Erzählung begründet,
nur – erfahren wir die eigentlichen Gründe? Was haben die Wege der
Helden mit den Wünschen ihrer Autoren zu tun? Auch ist zu fragen
nach der Art des Reisens, nach dem Ziel des Sehnens, nach dem Verhältnis des Romantikers zu den neuen Verkehrsmitteln seiner Zeit, nach
den gesellschaftlichen Konsequenzen seiner Einstellung. Nicht zuletzt
sind die literarischen Mittel – vor allem in der Lyrik – von Interesse, mit
denen die Intentionen sprachlich realisiert werden und so Generationen
von Epigonen das Rüstzeug für eine gefühlhafte Naturlyrik bereitge-
stellt wird.

Ersungene Welt am Beispiel von Eichendorffs ‚Sehnsucht'. Eichendorffs Gedicht ‚Sehnsucht', veröffentlicht 1834, stellt den Idealfall aller
Gedichte dieser Thematik dar.

> Es schienen so golden die Sterne,
> Am Fenster ich einsam stand
> Und hörte aus weiter Ferne
> Ein Posthorn im stillen Land.
> Das Herz mir im Leib entbrennte,
> Da hab ich mir heimlich gedacht:
> Ach, wer da mitreisen könnte
> In der prächtigen Sommernacht!
>
> Zwei junge Gesellen gingen
> Vorüber am Bergeshang,
> Ich hörte im Wandern sie singen
> Die stille Gegend entlang:
> Von schwindelnden Felsenschlüften,
> Wo die Wälder rauschen so sacht,
> Von Quellen, die von den Klüften
> Sich stürzen in die Waldesnacht.

Sie sangen von Marmorbildern,
Von Gärten, die überm Gestein
In dämmernden Lauben verwildern,
Palästen im Mondenschein,
Wo die Mädchen am Fenster lauschen,
Wann der Lauten Klang erwacht
Und die Brunnen verschlafen rauschen
In der prächtigen Sommernacht. –

Dieses Gedicht enthält einen Großteil des Vokabulars, das wir mit den Begriffen 'Romantik' und 'romantisch' verbinden: „Sterne" und „Mondenschein" als Merkmale der Nacht, „Posthorn", „Laute", „Gesang" als Ausdrücke für Musik, „Felsenklüfte", „Wälder", „Quellen" als Repräsentanten der Natur. Die feudale Kultur wird signalisiert mit den Ausdrücken „Marmorbilder", „Lauben", „Paläste", das jugendliche Personal ist präsent in „einsames Ich", „wandernde Gesellen", „lauschende Mädchen", Gefühl wird hervorgerufen durch „Herzschmerz", „heimliches Denken", „seufzendes Wünschen". Dieses Vokabular bestimmt den Eindruck im Groben; doch das Recht zur Überschrift „Sehnsucht" gewinnt Eichendorff nicht aus bloßen Benennungen, sondern aus der inneren Bewegung seines kunstvollen Arrangements. In einem Spannungsverhältnis befinden sich die gestirnte Weite zur einsamen Person am Fenster (typisch für Eichendorff und beliebt in der Malerei der Zeit; vgl. Abb. gegenüber), das stille Land zum Klang des Posthorns, der einsam Stehende zu den gesellig Gehenden, der Schweigende zu den Singenden. Eichendorff bietet dem Leser kontrastive Anordnungen dar, als deren Ausgangs- und Bezugspunkt das lyrische Ich fungiert. Doch verharrt Eichendorff in den anschließenden Strophen nicht bei der Ausführung der aufgestellten Korrespondenzen und Kontraste. In einem Kunstgriff läßt er das lyrische Ich nicht nur Gesang vernehmen, sondern er füllt mit dem Vokabular ebendieses Liedes die zweite Hälfte seines Gedichts. Das Lied singt von der Musik der Natur; es beschreibt aber zugleich auch Landschaft und konstituiert sie dadurch; es eröffnet Raum, gewinnt Ferne, schafft Welt. Die Bilder haben eine Verbreiterungstendenz: vom einsamen Ich zu den zwei Gesellen am Waldeshang, zu der eingeschlossenen Felsenlandschaft, zum offen liegenden Garten. Die geseufzte Fernsucht der ersten Strophe konkretisiert sich hier im Gesellenlied in Reisestationen, doch gewinnt sie kein festes Ziel, wie sich am perspektivischen Bau des Gedichts zeigen läßt. Zum Posthornruf tritt das Gesellenlied, aus dem Lautenklang und Brunnenrauschen erwachsen. Es deuten sich weitere Klangräume an, Musik in einer unendlich klingenden Progression. Das eigentliche Ziel liegt außerhalb des Gedichts.

‚Sehnsucht' kann als Musterbeispiel für die Technik des Evozierens und Imaginierens durch zugleich einfache wie raffinierte sprachliche Mittel

Carl Gustav Carus: Fenster am Oybin bei Mondschein. Öl auf Leinwand, 27,5 × 31,5 cm. Ulm 1828. Foto: Sammlung Georg Schäfer, Schweinfurt.

gelten. Das Gedicht verwirklicht auch strukturell seinen Inhalt: die Entgrenzung.

Wunschziele. Bezeichnenderweise ist in ‚Sehnsucht‘ nicht eine durchgeführte, sondern eine ersungene Reise Gegenstand. Das Ich verharrt körperlich am Fenster; es reist imaginativ. Das Posthorn weckt eine diffuse Reiselust; kein Ziel, keine Bestimmung wird genannt. Die im Gesellenlied gewonnenen Konkretisierungen eröffnen dem Spiel der Reisephantasie Tore zu vorstellbaren Welten. Der Leser denkt vielleicht an das Italien des ‚Taugenichts‘ oder an die Kulturlandschaft im ‚Marmorbild‘. Doch bestimmt sich die Ferne weniger durch die geographische Lage eines Zielpunktes als durch die Diskrepanz zwischen der heimatlosen Eingebundenheit in den Alltagsbetrieb und dem „heimlichen“, d. h. verschwiegenen Wünschen in eine andere Welt.
Ob es die gesellenübliche Wanderung auf dem Weg zur Meisterschaft des Franz Sternbald oder die von der Faszination durch den Runenberg

gesteuerten Wege des jungen Christian sind, jeweils entfalten sich symbolische Beziehungen und Hintergründe: in christlicher Tradition die Pilgerschaft auf Erden als Vorbereitung auf ein jenseitiges Ziel; in säkularisierter literarischer Tradition die Entwicklungs- und Bildungsreise mit dem Ziel der Selbstfindung wie im ‚Parzival‘ Wolframs von Eschenbach (um 1210), im ‚Simplicissimus‘ Grimmelshausens (1669), im ‚Wilhelm Meister‘ Goethes (1795/96).

Errungene Welt am Beispiel des ‚Taugenichts‘ von Eichendorff. Italien ist seit dem Mittelalter Station der Begüterten auf ihrer Bildungsreise durch die Kulturwelt. Neue Attraktivität gewinnt dieses Ziel mit der von Winckelmann entfachten Begeisterung für die Antike (vgl. o. S. 68 f.); der berühmteste Reisende ist Goethe. Den Romantikern, z. B. Wackenroder (Abschnitt ‚Sehnsucht nach Italien‘ in den ‚Herzensergießungen‘), E. T. A. Hoffmann, Eichendorff, ist dieses Ziel zumeist ein unerfüllter Wunsch. Doch gerade der letztere ist mit seiner Novelle ‚Aus dem Leben eines Taugenichts‘ (1826) im Bewußtsein seiner Zeitgenossen und auch in dem unsrigen zum kompetenten Repräsentanten romantischer Wander- und Reiselust geworden.

Die Reise geht wieder nach Italien, das allerdings – man denke an die Gefährdungen durch die antike Schein- und damit Trugwelt im ‚Marmorbild‘ (1818) – keineswegs nur von Heiterkeit durchpulst ist; selbst im ‚Taugenichts‘ zeigt sich leise Skepsis. Nur bleibt solche Kritik am Antike-Taumel der älteren Generation gerade für den ‚Taugenichts‘-Leser zu subtil. Es stellt sich die Frage, was eine Gesellschaft, für die Erwerbsfleiß, soziale Sicherung, Ein- und Unterordnung zu den tragenden Wertvorstellungen gehört, dazu bewegt, gerade den ‚Taugenichts‘, diese Mischung aus gottergebener Unbekümmertheit, unzuverlässiger Unstetigkeit, ja fast immoralischer Freiheit, zu einer Lieblingslektüre zu wählen. Des Taugenichts Gestimmtheit beim Fortgang aus der Arbeits- und Erwerbswelt („Mir war es wie ein ewiger Sonntag im Gemüte“) gibt Aufschluß über die geheimen Wünsche der Leser und erschließt den Hauptgesichtspunkt der Identifikation mit dem Helden. Die Leser sind bis auf den heutigen Tag zumeist weit davon entfernt, den ‚Taugenichts‘ als Kritik an der eigenen Existenzweise, gar als Handlungsanweisung für ein alternatives Leben zu lesen. Der reale „ewige Sonntag“ liegt außerhalb ihres Strebens. Sie bescheiden sich mit dem schicklichen Freiraum phantasiegebundener Wunscherfüllung. Doch gerade darin, daß sich der ‚Taugenichts‘ für sie nicht in der Beschreibung einer konkreten Italienreise erschöpft, sondern – vor allem in der Unentschiedenheit und Ziellosigkeit – immerzu auch von einer utopischen Reise in den „ewigen Sonntag“ handelt, liegt seine anregende Kraft. Daß die ‚Taugenichts‘-Welt zudem als Gegenwelt zur zweckgerichteten Geschäftigkeit des modernen Lebens, ja als Protest gegen die Arbeitsversklavungen unserer Zeit zu lesen ist, mehrt die Dimensionen dieser zunächst so schlicht erscheinenden Dichtung.

Selbstfindung. Fernweh und Wanderlust erweisen sich als die Umsetzungen der immergleichen romantischen Sehnsucht nach Selbstbefreiung ins Räumliche. Sie korrespondieren dem Weg nach innen, dem Gang in die Kindheit der Menschheit, wie er sich in Mythenforschung und im Sammeln von Volksdichtung ausdrückt, und der Versenkung in die Geschichte. Von alldem schreibt Franz Sternbald seinem Freund in seiner Sprache:

„Wir sprechen immer von einer goldenen Zeit und denken sie uns so weit weg und malen sie uns mit so sonderbaren und buntgrellen Farben aus. O teurer Sebastian! Oft dicht vor unsern Füßen liegt dieses wundervolle Land, nach dem wir jenseits des Ozeans und jenseits der Sündflut mit sehnsüchtigen Augen suchen. Es ist nur das, daß wir nicht redlich mit uns selber umgehen. Warum ängstigen wir uns in unsern Verhältnissen so ab, um nur das bißchen Brot zu haben, das wir selber darüber nicht einmal in Ruhe verzehren können? Warum treten wir denn nicht manchmal aus uns heraus und schütteln alles das ab, was uns quält und drückt, und holen darüber frischen Atem und fühlen die himmlische Freiheit, die uns eigentlich angeboren ist?"
(Tieck: ,Franz Sternbalds Wanderungen', 1. Buch, 4. Kap.)

3.4 Stil ohne Grenzen

> **Jean Paul:** Des Luftschiffers Giannozzos Seebuch (1803)
> **Clemens Brentano:** Das Märchen von dem Dilldapp (um 1806)

Mischung der Gattungen. Praktische Konsequenz der Lehre von der 'progressiven Universalpoesie' ist die Gattungsmischung. Sie wird am deutlichsten in der Hochschätzung des Romans sichtbar, der nach Fr. Schlegel „als gemischt aus Erzählung, Gesang und anderen Formen" zu denken ist. Tieck, Novalis, Brentano, später dann Eichendorff bieten diese Mixturen. Sie brechen damit die geschlossenen Gattungs- und Formtypen auf, die bei Goethe und Schiller einen Schwerpunkt der literaturtheoretischen Reflexionen bilden. Der Vorwurf ästhetischer Willkür wird ihnen jedoch nicht zu Recht gemacht, weil die in die Romanhandlung eingelegten Lieder, Gesänge, Erzählungen, Märchen – in der Veräußerlichung der inneren Welt, in der Präsenz des Fernen, in der Vergegenwärtigung des Vergangenen und Künftigen – den Charakter perspektivischer Ergänzungen oder der Raum-Zeit-Vervollständigungen haben. Die Einschübe unterbrechen gelegentlich zwar die Handlung, aber nur, um ihr neue Dimensionen hinzuzugewinnen.

Abschweifung und Bildlichkeit im Werk Jean Pauls. Die Disparatheit
des Beieinanderliegenden und die Ähnlichkeit des Entfernten, die Diskontinuität des menschlichen Lebens sowie die unauflösbare Spannung
von angestrebtem Ideal und widerstreitender Realität sucht Jean Paul zu
gestalten. Dazu hat er sich einen eigenen Stil und eine an den englischen
Romanautor Laurence Sterne anknüpfende Erzähltechnik geschaffen,
die er in seiner ,*Vorschule der Ästhetik*' (1804) auch theoretisch begründet. Auflösung gewohnter syntaktischer Muster, Metaphernreihen, in
denen Entlegenes miteinander verbunden ist, assoziative Vergleiche,
Analogieketten und Gleichnisse prägen seinen Stil:

„Das Schnupftuch – dieses Geifertüchlein bärtiger Kinder – ist die beste Herzens-
floßfeder, die ich an solchen Fischen gesehen; die Mädchen sind wie Kalk, den
der Freskomaler so lange bearbeiten und bemalen kann, als er naß ist. O warum
bin ich nicht der Teufel oder seine Großmutter, um solche Neptunisten – die zu
Vulkanisten zu erbärmlich sind – abzuholen und abzutrocknen in der Hölle?"
(,Des Luftschiffers Giannozzos Seebuch', 1803, 4. Fahrt.)

Der auktoriale Erzähler gestattet sich in willkürlich scheinender Subjektivität Anspielungen, Abschweifungen, Leseranreden, Kommentierun-
gen in Zwischenbemerkungen und Fußnoten, Selbstunterhaltung mit
dem verdoppelten Ich, die Eröffnung von Nebenschauplätzen, Neben-
handlungen und deren Verselbständigung. Dadurch wird die traditionelle Handlungsfolge in Handlungsmomente zerstückelt und alle objek-
tive Kausalität zur Unwirklichkeit degradiert. Angesichts der zusam-
mengefügten Vielfalt der Formen hat man den Jean-Paulschen Roman
mit einer Nummernoper verglichen, die Stücke unterschiedlichen Charakters – lyrische, dramatische, lehrhafte – in der Gestalt von Träumen,
theatralischen Szenen, Briefen, Abhandlungen inselhaft gegeneinander
absetzt.
Dieses Prinzip der 'Formlosigkeit' hat die Leser dieser Romane zu allen
Zeiten verwirrt und die Kritiker zu höhnischen Ausfällen gereizt (z. B.
Goethe: ,Der Chinese in Rom', 1797). Doch hinter den scheinbar ästhetischen Defiziten steht als Rechtfertigung Jean Pauls Wille, Totalität zu
spiegeln, die freilich, im Gegensatz zum Goetheschen Harmonisierungs-
bestreben, die Heterogenität der Welt abbildet. Zu diesem Zweck wird
der Wirklichkeitsstoff seiner zufälligen Ordnung entrissen und defor-
miert, damit er in neuer Gestalt neue Erkenntnisse hergibt. Dieser Vorgang ist dem Blick durch ein Fernrohr vergleichbar, das die Gegenstände, je nachdem, wie man es ansetzt, ins Riesenhafte vergrößert oder
zu lächerlicher Bedeutungslosigkeit verkleinert. Im ersten Fall werden
Menschen zu Titanen, die Weisen zu Gottesmännern, die Jungfrauen zu
Madonnen, die geistig Mächtigen zu Dämonen und Magiern, die Ironi-
ker zu Universalzweiflern, die Idylliker zu Paradiesesbewohnern; so findet sich das Verfahren in den letzten drei Büchern des ,Titan'

(1792–1802). Der perspektivischen Verkleinerung zuzurechnen sind besonders satirische Passagen, so der Anfang des ‚Siebenkäs‘ (1796/97) oder Walts Bemühungen in den ‚Flegeljahren‘ (1804/05), die testamentarisch festgelegten Aufgaben zur Erlangung seiner Erbschaft zu erfüllen.

Die Übersicht, deren der Weltbetrachter bedarf, besitzt beispielhaft der in seinem Ballon Deutschland überfliegende Luftschiffer Giannozzo:

„Könntest du doch jetzt unter meinem Luftschiff mithängen, Bruder Graul – dieser Name ist viel besser als dein letzter, Leibgeber –: du machtest gewiß die Sänftentüren meiner Luft-Hütte weit auf und hieltest die Arme ins kalte Ätherbad hinaus und das Auge ins düstere Blau – Himmel! du müßtest jetzt aufstampfen vor Lust darüber, wie das Luftschiff dahinsauset und zehn Winde hinterdrein und wie die Wolken an beiden Seiten als Marsch-Säulen und Nebel-Türme langsam wandeln und wie drunten hundert Berge, in eine Riesenschlange zusammengewachsen, mit dem Gifte ihrer Lavaströme und Lawinen zornig zwischen den Ameisen-Kongressen der Menschen liegen – und wie man oben in der stillen heiligen Region nichts merkt, was drunten quäkt und schwillt.“
(‚Des Luftschiffers Giannozzos Seebuch‘, 1. Fahrt.)

Giannozzo nutzt die Möglichkeit, die Welt unter sich zu lassen, aber sich auch nach Belieben ihre Details mit dem Fernglas wieder heranzuholen. So beobachtet er den Literaturzensor Fahland (mhd. ‘valant’, ‘Teufel’) beim Versuch, ein zur Schwärmerei neigendes Mädchen zu verführen, und kommentiert den Vorgang: „Fahland, wie seine ganze Diebesbande, hält das Abendrot und ganze Haine bloß als Springwurzeln an das weibliche Herz, damit dieses Vorlegeschloß der Person aufspringe; mit der Erdkugel und einigen Himmelskugeln und der zweiten Welt beeren sie die Schlinge für das dumme Schneußvögelein vor“ (4. Fahrt).

Hier wird uns Fahlands Bemühen angezeigt, den Himmel einzuspannen, um zu seinem irdischen Ziel zu gelangen. Zugleich kommt das sehr ähnliche Verfahren Jean Pauls zur Sprache, in der Verbindung des Trivialen mit dem Erhabenen, des Gemeinen mit dem Hohen wenigstens punktuelle Totalität zu gewinnen. Doch entlarvt die gleich einsetzende Kommentierung das kunstvolle Weltarrangement in seiner Ungleichwertigkeit und zertrümmert es damit. Und dennoch entsteht insgesamt als Folge des ständig präsenten Erzähler-Ichs ein scheinbar systematischer Zusammenhang höchst unterschiedlicher Elemente. Die reine Objektwelt erfährt durch die Negierung der realen Beziehungen eine ungeahnte Entgrenzung.

Das Stilprinzip der ‘Arabeske’ bei Brentano.   Unter ‘Arabeske’, einem zunächst kunsthistorischen Stilbegriff, kann man – im Sinne der zeitgenössischen Dichtungstheorie – Verzierungen und Schnörkel der Phantasie ansehen, welche die gradlinig fortlaufende Handlung unterbrechen

und gelegentlich auch überwuchern. Brentano sieht in der Arabeske –
wie Fr. Schlegel und Jean Paul – ein Formprinzip, das weit über dekorative Ornamentik hinausgeht und in besonderer Weise die symbolisch-
bildliche Darstellung künstlerischer Empfindung zu leisten vermag.
Schlegel hatte die Arabeske aus der Naturpoesie abgeleitet, indem er sie
als die Form der wildwachsenden Poesie definierte. In diesem Sinn heißt
auch Brentanos ‚Godwi‘ (1801) „ein verwildeter Roman“. – Später
gewinnt Brentano an Runges Arabeskenmalerei (vgl. Abb. S. 109), die
er eine „tiefsinnige Bildersprache“ von „anspruchsloser Zierlichkeit“
nennt, sein individuelles Kompositionsprinzip.

„Dilldapp aber geriet in ein solches Laufen bergab und bergauf, durch Wälder
und Felder, Land und Sand, Stock und Stein, Distel und Dorn, daß er nicht eher
aufhörte, bis er nichts mehr sah vor lauter Nacht. Denn die Sonne hatte er schon
über den Haufen gelaufen, und an der Abendröte hatte er die bunten Fenster-
scheiben eingerannt. Da hingen die Sterne ihre tausend Laternen zum Himmel
heraus, und der Mond zog als Nachtwächter auf die Wache, um zu sehen, wer so
erbärmlich laufe.“ (‚Das Märchen von dem Dilldapp‘, um 1806.)

Ähnlich der arabesken Bewegung in ihrem endlosen, wuchernden Wei-
terschreiten in der Malerei steigert Dilldapp seinen beiläufigen Beginn
zu einer grotesken Hetzjagd. Das Laufen verselbständigt und vergrößert
sich in phantastische Verschlingungen; selbst Metaphern werden über-
rannt. Indem die Sprachbewegung die normale Ordnung verläßt,
gewinnt sie einen tieferen Sinn.

4 Konfrontationen. Idealwelt und Wirklichkeit

4.1 Auseinandersetzung mit Zeitproblemen

Wilhelm Heinrich Wackenroder:
Ein Brief Joseph Berglingers (1797)
Adelbert von Chamisso:
Peter Schlemihls wundersame Geschichte (1814)
Novalis: Heinrich von Ofterdingen (1802)
Heinrich von Kleist: Michael Kohlhaas (1810)
Clemens Brentano:
Geschichte vom braven Kasperl und dem schönen Annerl (1817)

Die Romantiker machen die zeitgenössische politische, ökonomische, rechtliche und soziale Wirklichkeit selten zum Gegenstand ihres Dichtens. Dennoch stehen sie mit der Wahl ihrer Sujets in engem Bezug zu ihrer Zeit. Sie zielen auf den inneren Menschen, auf Veränderung seines Bewußtseins. Ihr emanzipatorisches Denken ist zudem während der Fremdherrschaft durch Napoleon gefesselt von der übermächtigen Vorstellung einer Wiederherstellung nationaler Souveränität, Einheit und Größe. Zwangsläufig verlieren so Forderungen nach sozialer Veränderung ihren Vorrang.

4.1.1 Kunstreligion und soziales Elend

Wackenroder: ‚Ein Brief Joseph Berglingers‘. Wackenroder ist in den ‚Herzensergießungen eines kunstliebenden Klosterbruders‘ maßgeblich beteiligt an der Ausarbeitung einer Kunstlehre, in der der Schaffensvorgang üblicher geistiger Produktivität entrückt ist und die Rezeption in einem Akt gleichsam religiöser Ergriffenheit erfolgt. Doch wird Wackenroder früh von Zweifeln am hohen Anspruch der Kunst geplagt. In den ‚Phantasien über die Kunst‘ (1799), insbesondere in dem darin enthaltenen ‚Brief Joseph Berglingers‘, gestaltet er sein Schwanken zwischen der Hochschätzung der Kunst als einer „die Geistes- und Herzenskraft des Menschen" verdichtenden Kraft und der entgegengesetzten Einschätzung, daß die Kunst „ein täuschender, trügerischer Aberglaube" ist, durch den schöne Werke den Anspruch des tätigen und leidenden Menschen verdecken. Der Scheincharakter, das Illusionäre von Kunstübung und Kunstgefühl wird in Konfrontation mit der das Gewissen peinigenden sozialen Wirklichkeit offengelegt. Die Verwandlung von wirklichem Leben in Theater in der Weise, daß man die „Bühne für die echte Muster- und Normalwelt" erklärt, wird von Wackenroder als Mittel zur Beruhigung des Gewissens, zur Kaschierung hilfloser Untätigkeit erkannt. Das Bestreben, „aus dem elenden Jammer irgend etwas Schönes und kunstartigen Stoff herauszuzwingen", wird als eine Form eitler Selbstbefriedigung entlarvt. Der Kunstenthusiast in seiner Hingabe an die „lüsternen, schönen Akkorde" „mit ihren locken- den Sirenenstimmen" befindet sich in Wahrheit auf der Flucht vor den ihn bedrängenden Ansprüchen der Unrecht, Elend, Krieg und Not erlei- denden Menschheit. Deren „herzergreifende Töne", deren Dissonanzen sind die eigentliche Realität, die schönen Harmonien der Kunst daneben „wie Seifenblasen". Zwischen Kunst und sozialer Wirklichkeit gibt es bei Wackenroder keine Vermittlung.

Die Frühromantiker in Wackenroders Gefolgschaft haben sich diese Vorstellung einer Unvereinbarkeit von Kunst und sozialer Wirklichkeit ganz zu eigen gemacht, allerdings in der Form, daß sie einer direkten Aufnahme sozialer Problematik in ihre Dichtungen aus dem Weg gegan- gen sind. In dem später häufig behandelten Gegensatz von Kunst und Alltagswelt steht nicht die tatsächliche Not, sondern die Poesielosigkeit der Normalität im Mittelpunkt.

4.1.2 Die Kapitalisierung des Lebens

Auch die sich anbahnenden oder gerade vollziehenden ökonomischen Umwälzungen, zum Teil Ursache für die soziale Problematik, werden von den Romantikern zumeist übergangen. Den meisten von ihnen ist nicht nur eine Beschäftigung mit den Niederungen des Alltags verhaßt, sondern das auf Poetisierung des Lebens zielende Programm verlangt den Schritt zur Idealisierung. So bleiben den Romantikern fast zwangs- läufig wirtschaftliche Zusammenhänge verborgen. Beispielsweise ist Eichendorff zeit seines Lebens der Überzeugung, allein Mißwirtschaft seines Vaters habe zum Verlust des Gutes und Schlosses Lubowitz ge- führt.

Mit dem Tilsiter Edikt von 1807, das jedem Einwohner des preußischen Staates den Erwerb auch solcher Grundstücke gestattete, die zuvor wegen des 'ständischen Vorbehalts' nicht aus der Hand des Adels erwor- ben werden durften, nimmt die Zahl städtischer Bürgerlicher (Fabrikan- ten und Handeltreibender) zu, die Landgüter aus unternehmerischem und kapitalistischem Verwertungsinteresse erwerben.

Chamisso: ,Peter Schlemihls wundersame Geschichte'. Adelbert von Chamisso versucht, für die neue Zeit charakteristische Motive und Ele- mente in seinen ,Peter Schlemihl' (1814) einzubringen.

Der Herr Thomas John, Peter Schlemihl, sein Diener Bendel, der unehrliche Bedienstete Raskal, alle erkaufen sich ihr weltliches Glück und ihr menschliches Unglück mit Unmengen von Gold und Geld, die sie dunklen Absprachen mit dem Teufel oder Teilhabe an diesem Reichtum durch Ergebenheit oder Diebstahl verdanken. Chamisso verteufelt den Erwerb von Großvermögen, er dämonisiert die Folgen bei durchaus realistischer Detaildarstellung der zeitüblich gewordenen Handlungsweisen und Lebensformen. Herr Thomas John bewohnt ein großes, neues Landhaus „von rot und weißem Marmor mit vielen Säulen", plant schon ein weiteres, gibt glanzvolle Gesellschaften, deren Gespräche sich unentwegt um den Reichtum drehen. „Wer nicht Herr ist wenigstens einer Million, der ist, man verzeih mir das Wort, ein Schuft!" äußert er unter Beifall. Doch zuletzt schaut „Thomas Johns bleiche, entstellte Gestalt" als ein Verdammter dem Teufel aus der Tasche. Peter Schlemihl, selbst den flimmernden Dukaten erlegen, tauscht seinen „herrlichen Schatten" gegen „Fortunati Glückssäckel", mit dessen Hilfe er ein prachtvolles Leben zu führen sich anschickt. Kein Wunsch scheint unerfüllbar: Häuser werden verschwenderisch eingerichtet, Feste veranstaltet. Der Wunsch, sich „anzusiedeln und ein sorgenfreies Leben zu führen", wird durch den Versuch, sämtliche „im Lande angebotenen" Güter zu erwerben, verwirklicht („[...] er kaufte auch nur für ungefähr eine Million [...], denn überall war ihm ein Fremder zuvorgekommen [...]"). Das Fehlen seines Schattens, Symbol für Identität, gesellschaftliche Integriertheit, Heimatzugehörigkeit, bringt ihn um sein Glück, stürzt ihn schließlich in Elend und seelische Krankheit. Mit dem Rat, „zuvörderst den Schatten, sodann das Geld" zu verehren, endet das Märchen.

Chamissos Polemik gegen die Auswirkung der Herrschaft des Geldes ist durchgehend ablesbar; indes durchschaut er nicht die Ursachen dieser Entwicklung. Er erläutert nicht gesellschaftliche Grundstrukturen, analysiert nicht rechtliche und ökonomische Voraussetzungen, sondern verwendet das Märchenmotiv des individuellen Einzelpaktes mit dem Teufel; noch ist keine Skizzierung ökonomischer Zwänge auf das Verhalten der Menschen möglich. Im Vordergrund steht das moralische Versagen des frei gedachten Einzelmenschen; dem Zwanghaften menschlichen Handelns wird immer noch im Verweis auf das rätselhafte Schicksal Ausdruck gegeben.
In diesen Aspekten zeigt sich der romantische Geist dieser Geschichte, der durch Verwendung von Märchenmotiven und Volksbuchelementen verstärkt wird. Die Hinwendung Schlemihls zur Natur nach seinem Auszug aus der Gesellschaft stellt eine Variante des Widerstreites Natur – Gesellschaft dar. Seine exotischen Naturforschungen sind als Ausdruck romantischen Fernwehs lesbar. Sie weisen aber zugleich auf versachlichte naturkundliche Beschäftigungen einer neuen Epoche, die im übrigen ihre Beobachtungen auf die sozialen Strukturen, wie Bettina von Arnim mit ihrem ‚Armenbuch' (1844), und auf die ökonomischen Zusammenhänge, wie Marx und Engels, ausdehnen wird.

Einstellung frühromantischer Autoren zum Geld.   Schon *Tieck* führt seinen Sternbald in eine Gesellschaft, in der sich so gut wie alles um Geld und Gewinn dreht. Der Hausherr selbst rät ihm, die brotlose Kunst gegen einen Aufseherposten („mit einem sehr guten Gehalte") in seiner Fabrik einzutauschen (I,4). Der holländische Kaufmann Vansen bietet ihm seine Tochter zur Frau und ein sorgenfreies Leben als Maler.

Tieck entwickelt hier ein Mäzenatentum der Neureichen, in dem die Kunst dekorative Funktion für das Kapital besitzt. Seine Kritik ist eindeutig, aber noch verhältnismäßig punktuell auf Einzelpersonen konzentriert (II,7).

Novalis nimmt zur Geldwirtschaft eine eher schwankende Haltung ein. Im ,Heinrich von Ofterdingen' (5. Kap.) wird das Verhältnis des Bergmanns zum Gold als ein fast religiöses bestimmt, das sich erst dann schlagartig verändert, wenn die Edelmetalle zu „Waren geworden sind". Anderseits aber rühmen gerade die Kaufleute das Handelswesen, ohne daß ein kritischer Ton beigemischt wäre:

„Geld, Tätigkeit und Waren erzeugen sich gegenseitig, und treiben sich in raschen Kreisen, und das Land und die Städte blühen auf. Je eifriger der Erwerbfleiß die Tage benutzt, desto ausschließlicher ist der Abend den reizenden Vergnügungen der schönen Künste und des geselligen Umgangs gewidmet." (2. Kap.)

Die Kaufleute betrachten den Reichtum als ein Resultat bürgerlicher Tugenden und als die Voraussetzung für die Beschäftigung mit den Werken der Kunst. Der Geschäftstag gewinnt in all seinen Maßnahmen den Anschein der Rechtfertigung im Blick auf das, was er an geistiger Lebensgestaltung dieser Schicht ermöglicht. Doch gerade das veränderte Verhältnis zum Besitz als einem Mittel für anderes steht in Widerstreit zum Verhältnis der besonderen Aneignung der natürlichen Schätze durch den Bergmann. Er nämlich erkennt in Goldadern, den „zarten Blättchen zwischen den Spalten des Gesteins", nichts, was er unmittelbar zu besitzen trachtet, sondern vervollständigt diese Andeutungen zu einem symbolischen Ganzen, „belebt" dabei das Gold in der Erde, indem er es als einen Bestandteil seines eigenen Herzens und als Manifestation eines Höheren entdeckt.

Die Einstellung von Novalis ist geprägt von der Einsicht in den Verlust von Unmittelbarkeit, daß „in der gegenwärtigen Welt [. . .] alles durchaus bedingt" ist und „nur unter gewissen fremdartigen Voraussetzungen erlangt werden" kann (,Fragmente und Studien 1799–1800', Nr. 686). Die Kritik richtet sich auf den unbedachten, willkürlichen Einsatz von Mitteln zur Erreichung von Zielen, auf die Verfälschung ursprünglicher Zwecke. Novalis' erster der ,Politischen Aphorismen' zielt auf dieses Übel als die Wurzel vieler Mißstände: „Der Grund aller Verkehrtheit in Gesinnungen und Meinungen ist – Verwechslung des Zwecks mit dem Mittel."

4.1.3 Gesetz – Pflicht – Rechtsbewußtsein – Ehre

Das Verhältnis des einzelnen zu Größen wie Recht, Staat und Ordnung wird in Zeiten des staatlichen Zusammenbruchs meist stärker reflektiert als in Zeiten ruhigen Dahingehens. Die Veränderung zahlreicher alter

Rechtszustände während der Napoleonischen Besetzung Deutschlands gibt darüber hinaus Veranlassung, über grundsätzliche Unterschiede in den Rechtsauffassungen nachzudenken. In dieser Zeit setzt die Beschäftigung der Romantiker mit alten Rechtsvorstellungen, die Sammlung und Veröffentlichung von Rechtsaltertümern ein (Savigny; Grimm).
Kleist setzt sich in drei Hauptwerken mit Problemkomplexen auseinander, die von zeitgeschichtlicher Dringlichkeit und zugleich von übergreifender Bedeutung sind: Im Schauspiel ‚Prinz Friedrich von Homburg‘ (1809/10) behandelt er die Frage nach dem Urteilsvermögen und der politischen Mündigkeit; im Lustspiel ‚Der zerbrochne Krug‘ (1808) sind die Möglichkeiten der Rechtsfindung und eines gerechten Urteils angesichts einer korrupten Justiz in den Mittelpunkt gerückt; die Erzählung ‚Michael Kohlhaas‘ (1810) befaßt sich mit der Ohnmacht des einzelnen und seiner Selbstjustiz aus Verzweiflung in Anbetracht einer willkürlichen adligen Obrigkeit.

Kleist: ‚Michael Kohlhaas‘.   Der Roßhändler Michael Kohlhaas erfährt bei einem Grenzübertritt Unrecht und wird materiell schwer geschädigt. Statt Genugtuung zu erlangen, sieht er sich mit der Überheblichkeit und dem Desinteresse einer jagd- und weinseligen Adelsgesellschaft konfrontiert. Sein Bemühen, „öffentlich Gerechtigkeit" durch Klage bei einem Gericht, durch Vorsprache beim Kurfürsten zu erreichen, scheitert an Vetternwirtschaft und Intrigen. So beschließt er, „das Geschäft der Rache" selbst zu betreiben. Wenn sich Kohlhaas als „Statthalter Michaels des Erzengels" bezeichnet, dann drückt sich darin Resignation angesichts der Desolatheit staatlicher Gerichtsbarkeit aus; zugleich ist dies auch ein Hinweis darauf, von wo die weltliche Justiz ihre Legitimation empfängt, gegen wen sie verantwortlich ist und durch welche Kräfte sie eine Erneuerung finden kann. Die Racheakte von Kohlhaas führen zu vielfältigen Verstößen gegen die gleiche Rechtsordnung, deren Verletzung durch seine Widersacher den Ausgangspunkt gebildet hat. Daß Kohlhaas zu guter Letzt wegen Landfriedensbruchs zum Tod durch das Schwert verurteilt wird, liegt in der Unerbittlichkeit dieses Falles, in dem empfindliches Rechtsbewußtsein und verfeinertes Ehrgefühl aus einem Kläger einen Richter in höherem Auftrag werden lassen.

Brentano: ‚Geschichte vom braven Kasperl und dem schönen Annerl‘ (1817).   Auch Brentanos Kasper scheitert daran, daß er in einer Tugend ausschweift, wie Kleist es für Kohlhaas nennt, nämlich in seiner Ehrsucht. Wie der rechtschaffene Kohlhaas sich das Recht verschaffen will, das ihm verweigert wird, und dadurch schuldig wird, erwartet der ehrbar gewordene Kasper von seiner Umgebung Ehrenhaftigkeit, wird darin enttäuscht und nimmt die Schuld anderer auf sich. Auch dem schönen Annerl wird der übersteigerte Ehrbegriff zum Verhängnis. Entrechtet der eine, entehrt (im doppelten Sinn) die beiden anderen, werden alle drei schuldig: Kohlhaas durch Freveltaten, Kasper durch Selbstmord, Annerl durch Kindsmord. Die Rechtmäßigkeit ihrer Bestrafung wird in beiden Texten nicht in Frage gestellt. Kohlhaas wie auch Kasper und Annerl erfahren nachträglich Genugtuung: Alle drei werden „anständig" begraben, das Volk sympathisiert mit ihnen, ihre Nachkommen werden begünstigt.

Der Zeitbezug bei Kleist und Brentano. Im Unterschied zu Kasper, der verbissen private, individuelle Ehre sichern will, tritt Kohlhaas im erbitterten Kampf gegen Institutionen zu guter Letzt für ein allgemeines Prinzip ein. Der Ausschnitt geschichtlicher Wirklichkeit ist bei Kleist größer, die Konturen gesellschaftlicher Einrichtungen sind greifbarer. Es scheint auch, daß der historische Fall, den Kleist aufgreift und gestaltet, seiner Gegenwart gilt. Rechtsanmaßung generell wird von ihm angeprangert, gleich ob sie in Rechtsverweigerung oder in Selbstjustiz besteht.

Bei Brentano drohen nicht weltliche, sondern „Gottesgerichte". Die Opfer kollidieren weniger mit einer feindseligen Obrigkeit als mit verinnerlichten Grundsätzen ehrenvoller Lebensgestaltung. Gerechtigkeit wird hergestellt unabhängig von der Willkür oder Großzügigkeit einer Obrigkeit. Der Zeitbezug ist ablesbar an der Veräußerlichung der Ehrvorstellung, die keineswegs an strengen Prinzipien des Christentums orientiert ist, sondern in den Mustern ständischer Lebensformen ihre Erfüllung findet. Brentano zeigt, wie Menschen trotz strengster Grundsätze völlig falsch ausgerichtet sein können: Beispielhaft weisen Repräsentationsstücke wie ein Pferd und höheren Ständen abgeguckte Verhaltensformen auf Fehlorientierungen. Der vermeintliche Aufstieg gelingt durch Absolvierung des Militärdienstes bzw. durch Verkauf der Arbeitskraft in der Stadt. Personen unterschiedlicher Herkunft zeigt Brentano in ähnlichen Situationen. Dabei erweist sich das Wertsystem der einen als zu starr, das der anderen als brüchig. Die ihren eigenen, angemessenen Grundsätzen Entfremdeten gehen an den übernommenen Prinzipien zugrunde. Brentano läßt die ständische Ordnung unangetastet; er kritisiert gerade das Verwischen ihrer Grenzen. Maßstab und Orientierung gibt eine höhere, zeitlose, christliche Ordnung.

4.2 Philister und Künstler

> **Joseph von Eichendorff:** Die zwei Gesellen (Gedicht. 1818)
> **Ernst Theodor Amadeus Hoffmann:** Der goldne Topf (1814)

Ungenügen an der Normalität kennzeichnet Art und Richtung romantischer Wirklichkeitsbetrachtung. Besonders die jüngeren Romantiker wie E.T.A. Hoffmann und Eichendorff entwickeln ihre Erzählwelt kontrastiv zur Umwelt, die sie häufig als Negativfolie einsetzen. So entsteht beim Leser nicht selten der Eindruck einer doppelten und qualitativ in sich unterschiedenen Welt.

In *Eichendorffs* Gedicht ‚Die zwei Gesellen‘ (1818) werden die beiden Lebensmöglichkeiten, die der philiströsen Geborgenheit und die der Gefährdung in einer Künstlerexistenz, exemplarisch auseinandergelegt. Der Ausgangspunkt beider Gesellen scheint gleich zu sein: Beide „strebten nach hohen Dingen, die wollten [...] was Recht's in der Welt vollbringen". Doch des einen Weg mündet bald in Seßhaftigkeit, in Eingebundenheit in eine Generationenkette; der des andern endet in den Verlockungen der Sirenen, im Untergang. Wie am Taugenichts in Eichendorffs gleichnamiger Erzählung und am Anselmus im ‚Goldnen Topf‘ *E. T. A. Hoffmanns* sichtbar wird, benennt diese Entfaltung nicht zwei getrennte Existenzformen, sondern die ambivalenten Strebungen, Veranlagungen und Realisierungen ein und desselben Menschen.

Die Selbstbeschränkung des Philisters. Den Philister charakterisiert nach Auffassung der Romantiker am eindeutigsten sein völliges Aufgehen in der Normalität und Durchschnittlichkeit. *Novalis* notiert: „Philister leben nur ein Alltagsleben", und bestimmt „Alltagsleben" als „Zirkel von Gewohnheiten", der „aus lauter erhaltenden, immer wiederkehrenden Verrichtungen" besteht (‚Blüthenstaub‘, Nr. 77). Zu diesen Verrichtungen zählt nicht nur die Arbeit, sondern gleichermaßen das Vergnügen („ihr Vergnügen verarbeiten sie, wie alles, mühsam und förmlich"). Die „Poesie mischen sie" – so Novalis – „nur zur Nothdurft unter, weil sie nun einmal an eine gewisse Unterbrechung ihres täglichen Laufs gewöhnt sind". Der Philister wird darüber hinaus als starr an Formeln und Grundsätzen orientiert, als den Konventionen, aber auch den Moden folgend gekennzeichnet. Weil er alles „um des irdischen Lebens willen" tut (Novalis), ihn die „kümmerliche Sorge für morgen" (Tieck) treibt, müssen ihm alle Bereiche des Übernatürlichen verschlossen bleiben. Der Philister erweist sich als von Nützlichkeitserwägungen geprägt; bei ihm überwiegt die rationale Weltbetrachtung.
Seine Abneigung vor unkonventionellen emotionalen Regungen und

ihrem Ausdruck ist verstehbar als Sorge vor Situationen der herabgesetzten Selbstkontrolle. Seine Angst vor derartigen Zuständen ist nicht unbegründet angesichts der reduzierten konstruktiven Kraft, der eingeschränkten Phantasie und Kreativität, aber auch angesichts einer von Kind an von ihm verlangten und von ihm gepflegten Selbstbeschränkung. Die – in Hoffmanns Dichtung meist unter Alkoholeinfluß – entbundenen Kräfte des Philisters äußern sich zuallererst destruktiv (‚Der goldne Topf‘, 9. Vigilie).

Besonders dem philiströsen Beamten kommt in einem System der durch Vorschriften, Zensur und soziale Kontrolle eingeschränkten individuellen Freiheiten eine wahrhaft staatstragende Funktion zu. Seine häufige und intensive Beschreibung bei Hoffmann und Eichendorff beruht auf deren Erfahrung in langjähriger eigener Beamtentätigkeit. Doch zielt ihre Kritik nicht auf den Staatsdiener allein, sondern sucht in ihm die gesellschaftlichen und staatlichen Einrichtungen zu treffen. Nicht also dem sich ob seines Sicherungsbedürfnisses emotional und intellektuell selbst beschädigenden Bürger, sondern auch den Verhältnissen, die ihn hervorbringen und anlocken, gilt ihre Aufmerksamkeit.

Die Gefährdung des poetischen Menschen – E. T. A. Hoffmann: ‚Der goldne Topf‘. Tritt Heinrich von Ofterdingen aus dieser Welt fort in eine vergangene, in der harmonische Ordnung, Vertrautheit der Menschen untereinander und Einklang mit der Natur herrschen, so versucht Hoffmann in dem Märchen ‚Der goldne Topf‘ (1814), Idealwelt und Wirklichkeit in ihrer Verschränkung zu zeigen.

Die Empfänglichkeit des jungen Studenten Anselmus für außergewöhnliche Reize und phantastische Erscheinungen wird von Hoffmann konfrontiert mit dem philiströsen Unverständnis städtischer Bürger, sämtlich Vertretern der Alltagswelt. Anselmus wird einbezogen in eine Welt der magischen Verbindungen, von Zauber und Gegenzauber. Er ist dieses unverderbt kindliche Gemüt, dem der Blick in die Wunder der Natur und die Wege zu Serpentina, einem im Zustand der Entzückung geschauten Schlänglein, offenstehen. Auf seinem Weg schreitet Anselmus mit Fleiß und Geschick, nicht jedoch ohne die Gefahr eines Rückfalls in irdische Leidenschaften, voran. Sein Lohn besteht im goldnen Topf als Hochzeitsgeschenk und einem „Rittergut" im entrückten Atlantis, wo er fortan mit Serpentina in schönstem Einvernehmen lebt. Die Seligkeit des Anselmus ist nichts anderes „als das Leben in der Poesie, der sich der heilige Einklang aller Wesen als tiefstes Geheimnis der Natur offenbaret".

Medium für den künstlerischen Menschen – und Anselmus wird als Dichter bezeichnet – ist die Liebe, die verzehrende, verklärende, spirituale Künstlerliebe. Sie befähigt den Anselmus, die mit rätselhaften Zeichen übersäten Handschriften des Archivarius abzuschreiben. Dieses Kopieren ist wiederum Sinnbild für das poetische Schaffen, die Mithilfe Serpentinas eine Umschreibung für Inspiration. Es ist bezeichnend, daß Anselmus seine Fähigkeit verliert, die Manuskripte zu entziffern, sobald er in den Bannkreis der Philisterin Veronika gerät, die unbedingt Anselmus' Frau und Hofrätin werden möchte. Der Tintenklecks ist gleichsam der Verlust der Kreativität, der durch die Berührung mit der Alltagswelt eingetreten ist; die gläserne, unproduktive Gefangenschaft ist die Folge. Diese Alltagswelt besitzt indes für den Künstler durchaus Anziehungskraft. So sieht sich Anselmus doppelt gefährdet: durch seine Wünsche nach Veronikas Liebkosungen und durch seine Gedanken an Speziestaler, den Lohn für seine Kopiertätigkeit.

Die Verschränkung der Welten. E. T. A. Hoffmann bedient sich zur Darstellung des übersinnlichen Reiches und der in ihm wirkenden Kräfte einer zu seiner Zeit modernen mythisch-symbolischen Anschauung von rational nicht faßbaren Zusammenhängen. Das mythische Geschehen bildet einen zweiten Handlungsstrang zum Alltagsgeschehen. Hoffmanns Kunstgriff besteht nun darin, daß er unaufhörlich die Grenzlinie zwischen den Wirklichkeiten umspielt. Er bietet viele erzählerische Mittel, z. B. Perspektivenwechsel und ironische Distanz des Erzählers, auf, um den Leser zu irritieren und seine Selbstsicherheit hinsichtlich von Realitätseinschätzung und Wirklichkeitserkenntnis zu erschüttern. Übersinnliche Kräfte sollen nicht nur als möglich erscheinen, sondern sie werden als unabweisbare Erfahrungstatsachen begründet. Das mythische Geschehen – gemeint sind des Anselmus Umgang mit dem Archivarius und mit Serpentina – bildet konsequenterweise keinen geschlossenen Teil des Märchens, sondern ist unauflöslich verquickt mit dem gewöhnlichen Leben getreu der romantischen Einsicht, daß die Geisterwelt unmittelbar in die normale hineinragt.

4.3 Entzweiung und Aufspaltung: Doppelgängerliteratur – Jean Paul, E. T. A. Hoffmann, Tieck

Jean Paul: Siebenkäs (1796)   Titan (1792–1802)
Ernst Theodor Amadeus Hoffmann: Die Elixiere des Teufels (1815/16)   Lebensansichten des Katers Murr (1820/22)
Geschichte vom verlornen Spiegelbilde (1815)
Ludwig Tieck: Der blonde Eckbert (1796)

Sorge um die eigene Identität ist ein Thema von existentiellem Ausmaß bei einer Reihe romantischer Autoren. Zweifel an der Realität alles

Bestehenden ist die Wurzel der Lebensangst, der Furcht vor unbekannten Mächten, der Ungewißheit und Unsicherheit im Hinblick auf die Einheit des Ichs. Das Weltgefühl der Zerrissenheit, die Trennung von Natur und Geist, die Gegenüberstellung von Innen- und Außenwelt, der gestörte Einklang des Menschen mit seiner Umwelt, die Aufsplitterung der menschlichen Verrichtungen, die Arbeitsteilungen und Spezialisierungen – all das gipfelt in der Ichspaltung des Individuums, des realen wie des erzählten.

Vom Gefühl unmittelbarer Bedrohung zeugen z. B. Tagebuchnotizen Hoffmanns lange vor seiner dichterischen Gestaltung des Problems: „Anwandlung von TodesAhndungen – DoppeltGänger –" (6.1.1804); „Ich denke mir ein Ich durch ein VervielfältigungsGlas – alle Gestalten die sich um mich herum bewegen sind Ichs und ich ärgere mich über ihr thun und lassen ppp" (6.11.1809).

Doppel-Ich.   Jean Paul prägt 1796 in seinem Roman ‚Siebenkäs' für die einander zum Verwechseln ähnlichen Freunde Leibgeber und Siebenkäs das Wort „Doppelgänger". Die im Namen Leibgeber angedeutete Entpersönlichungstendenz findet im Namenstausch der Freunde eine Bestätigung. Die Ersetzbarkeit des einen durch den anderen wird für den Fortgang der Handlung insofern genutzt, als Siebenkäs seinem Ehejoch entflieht, indem er seinen Tod vortäuscht und an Leibgebers Statt in der Fremde tätig wird.

An die Stelle hilfreicher Zugetanheit im ‚Siebenkäs' tritt in *E. T. A. Hoffmanns* Roman ‚Die Elixiere des Teufels' (1815/16) Grauen und Schrecken. Die Schicksale der Halbbrüder, des Mönches Medardus und des Grafen Viktorin, die voneinander nicht wissen, verschränken sich auf geheimnisvolle Weise. Der wahnsinnig gewordene Viktorin hält sich in seiner Krankheit für Medardus. Seine Identifizierung mit ihm geht so weit, daß er dessen eigene Gedanken ausspricht, so daß Medardus glaubt, sich selbst sprechen zu hören, sein innerstes Denken als Stimme von außen zu vernehmen. Dieses paranoische Bild wird ergänzt durch die Verfolgungsideen, denen er im Kloster ausgesetzt ist, durch den Liebeswahn, der sich an das nur flüchtig geschaute Bild der Geliebten knüpft, sowie durch krankhaft gesteigertes Mißtrauen und Selbstgefühl. Auch wird er von der Idee gequält, einen kranken Doppelgänger zu haben, worin ihn die Erscheinung des geistesgestörten Kapuziners bestärkt. Grausige Verbrechen, Fortsetzung blutschänderischer Beziehungen der Vorfahren, werden mit dem Bewußtsein des anderen begangen; Angst beherrscht den Roman, der als Beispiel der 'Schwarzen Romantik' weit über deutschsprachige Grenzen bekannt wurde.

Ich-Spaltung.   Mehr als äußere Ähnlichkeit verbindet in den ‚Lebensansichten des Katers Murr' (1820/22) von *E. T. A. Hoffmann* das Schicksal des zur Geisteskrankheit disponierten Kreisler mit dem des wahnsinnigen Malers Ettlinger, dem Kreisler nach dem Ausspruch einer Romanfigur wie einem Bruder ähnlich sieht. Einmal hält Kreisler sein im Wasser geschautes Spiegelbild für den wahnsinnigen Maler und schilt ihn aus, während er unmittelbar darauf glaubt, sein eigenes Ich und Ebenbild neben sich einherschreiten zu sehen. Von tiefstem Entsetzen erfaßt, stürzt er ins Zimmer zu Meister Abraham und fordert ihn auf, den lästigen Verfolger mit einem Dolchstoß niederzumachen.

In *Jean Pauls* Roman ‚Titan‘ (1792ff.) steigert sich die Vorstellung des Hofmeisters Schoppe, vom Ich verfolgt zu werden, zur entsetzlichsten Pein. Er denkt sich die Seligkeit in einer ewigen Befreiung vom Ich. Fällt sein Blick nur zufällig einmal auf seine Hände oder Beine, so erfaßt ihn schon die Furcht, er könne sich erscheinen und „den Ich" sehen. Die Angst geht bei ihm so weit, daß er die verhaßten Spiegel deshalb zerschlägt, weil ihm aus ihnen sein Ich entgegentritt. Und wie Kreisler den Doppelgänger töten will, so sendet Schoppe an Albano seinen Stockdegen mit der Aufforderung, die unheimliche Erscheinung zu vernichten.

In Hoffmanns ‚Geschichte vom verlornen Spiegelbilde‘ (1815), einem Gegenstück zu Chamissos ‚Peter Schlemihl‘, verhängt der Kaufmann Spikher alle Spiegel, weil sie sein Spiegelbild nicht mehr wiedergeben. Wie Schlemihl seinen Schatten, so hat er sein Spiegelbild als Folge eines Paktes mit dem Teufel verloren: Beide Male handelt es sich um die symbolische Interpretation eines Identitätsverlustes.

Revenant-Gestalten. Bei den Revenants, Verkörperungen wiedererstandener Toter oder aufgelebter vergangener Lebensphasen, handelt es sich um dem Doppelgänger verwandte, von altem Aberglauben gespeiste Vorstellungen. In ihnen ersteht Vergangenheit in der Gegenwart, so in Hoffmanns ‚Elixieren‘, ‚Die Brautwahl‘ (1818), ‚Meister Floh‘ (1821). Insbesondere sei an *Tiecks* Märchen ‚Der blonde Eckbert‘ (1796) erinnert, in dem nicht nur der von Eckbert erschossene Walther in Hugo wiederkehrt, sondern zuletzt beide als Gestalten enthüllt werden, unter denen die Alte Eckberts inzestuöse Liebe zu Bertha zu ahnden gesucht hat.

Die Doppelgängerthematik hat zahlreiche Bearbeitungen gefunden. Nicht immer führt unmittelbare persönliche Betroffenheit, wie sie an Hoffmann sichtbar wird, zu ihrer Gestaltung. Der Doppelgänger erfährt eine Verselbständigung als literarisches Motiv, das sich hervorragend zur Erzielung komischer wie geheimnisvoller Effekte eignet, sowohl beim komödiantenhaften Verwechslungsspiel eingesetzt werden als auch bloßer Verkleidungsfreude Ausdruck verleihen kann.

4.4 Romantische Lebensläufe

Heinrich von Kleist:
Prinz Friedrich von Homburg (1809/10; veröffentlicht 1821)

In diesem Zusammenhang soll die Rede sein von romantischen Lebensläufen, weniger aus Gründen ihrer möglichen Bedeutung für die Entschlüsselung der Werke als vor allem zur Veranschaulichung und Überprüfung der romantischen These, daß sich jede Kunstanschauung zur
Lebensanschauung ausweiten müsse. Daher ist zu fragen, inwieweit
Romantiker das Philiströse hinter sich gelassen haben, ob sie in der
Poetisierung des Lebens vorangekommen und inmitten einer sich rasch
verändernden Welt gleichsam als neue Menschen in Erscheinung getreten sind.

4.4.1 Romantikerfrauen
In auffälligem Kontrast zu den zahlreichen blutjungen, bildschönen,
ätherisch reinen Mädchengestalten in Erzählungen und Romanen stehen reife, lebenserfahrene Frauen im Mittelpunkt der frühromantischen
Freundschaftszirkel in Jena und Berlin: Caroline und Dorothea, beide
kulturell bedeutsamen, geistig emanzipatorischen Elternhäusern entstammend.

Caroline (1763–1809), Tochter des Göttinger Orientalisten Michaelis,
lebt Anfang der 90er Jahre verwitwet mit ihrer Tochter Auguste in der
Mainzer Republik. Wegen ihres leidenschaftlichen Eintretens für die
republikanischen und demokratischen Ideen, ihrer Freundschaft zu
zahlreichen Republikanern, insbesondere der Familie Forster, nicht
zuletzt wegen ihres Verhältnisses mit einem französischen Offizier, von
dem sie einen Sohn hat, steht sie in höchst zweifelhaftem Ruf. Vor der
sozialen Ächtung bewahrt sie die Eheschließung (1796) mit August Wilhelm Schlegel (*1767), der soeben durch Vermittlung Schillers eine
Dozentur an der Universität Jena erhalten hat. Wenige Jahre später
wendet sich Caroline dem zwölf Jahre jüngeren Schelling zu, den sie
1803 heiratet.

Dorothea (1763–1839), Jüdin, Tochter des Berliner Philosophen und
Kaufmanns Moses Mendelssohn, läßt sich 1798 vom Bankier Veit scheiden, um Friedrich Schlegel (*1772) zu folgen, den sie 1804 heiratet. Mit
ihm gemeinsam konvertiert sie 1808 zum katholischen Glauben.

Diese beiden Frauen – neben ihnen Sophie Bernhardi (geb. Tieck),
Henriette Herz, Rahel Levin, Sophie Mereau (spätere Brentano) und

Bettina Arnim (geb. Brentano) – bestimmen das gesellige und das geistige Klima der frühromantischen Zirkel. Sie sind unermüdlich tätig als
intellektuelle Anregerinnen, scharfzüngige Kritikerinnen, als leidenschaftliche Briefschreiberinnen wie Caroline oder als selbstbewußte
Schriftstellerinnen wie Dorothea (Lyrik; Roman ‚Florentin‘, 1801).
Sosehr zunächst ihre freundschaftliche Offenheit Gleichgesinnte assozi-
ieren hilft, ihr halböffentlicher Salon wie ihre Tischgemeinschaften den
Kreis zu konsolidieren vermögen, so sprengt nachher gegenseitige Eifer-
sucht und Abneigung das fruchtbare Gemeinschaftsleben. Kleinmütige
Animositäten, amouröser Klatsch, Alltagstrivialitäten vergiften die
freundschaftlichen Verbindungen. Die vormals als segensreich empfun-
dene Intimität macht alle Teilnehmer an diesem Leben zu Mitwissern
und verleitet manchen, z. B. in den Ehescheidungsverfahren, zu parteili-
chen Aussagen. Denn so vehement wie das geistige Engagement, so frei
von ökonomischer Rückversicherung oder sozialer Rücksichtnahme
sind die Partnerbeziehungen. Es springt dabei ins Auge, mit welcher
Entschiedenheit, unbesorgt um Ruf und Konventionen, diese schriftstellernden Frauen ihr persönliches Glück zu gewinnen trachten. Der ihnen
gemäße Weg ist nicht Entsagung, von Susette Gontard (Diotima) und
Hölderlin gelebt, in Goethes ‚Wahlverwandtschaften‘ propagiert, sondern Scheidung aus alten Fesseln als Befreiung zu neuer Bindung.

4.4.2 Außerordentliche Lebenswege
Clemens Brentano (1778–1842), dem ein stattliches Vermögen die Entscheidung zum Beruf eines unabhängigen Dichters erleichtert, weist
eine exzentrische Lebensbahn ganz besonderer Art auf. Zunächst
schockiert er zwei Jahrzehnte Verwandte, Freunde und Zeitgenossen
mit seinen skandalösen Liebesverhältnissen. Dann gleitet er in das
andere Extrem, das mit seiner sogenannten Generalbeichte von 1817
und dem jahrelangen Aufenthalt bei der stigmatisierten Augustinerin
Anna Katharina Emmerick gekennzeichnet werden kann. Noch 1835
heißt es in einer brieflichen Mitteilung über ihn: „Er hat den schlechte-
sten Ruf und sieht in der Tat etwas satanisch aus [. . .]"
Weder ökonomische Zwänge noch gesellschaftliche Spielregeln schnü-
ren Brentano ein. Seine Gefährdung erwächst aus dem Gegenteil, aus
einem Mangel an realer Begrenzung: einmal aus dem Fehlen konkreter
Aufgaben; dann aus seiner Bereitschaft zu grenzenloser Anverwandlung
und Übersteigerung des Übernommenen, wie sie in seinem an Tieck
orientierten, satirischen Erstling ‚Gustav Wasa‘ (1800) und an seinem
Roman ‚Godwi‘ (1801), der sich an das arabeske Stilprinzip von Fr.
Schlegels Roman ‚Lucinde‘ (1799) anlehnt, ablesbar sind. Ihn gefährdet
besonders, wie er selbst bekennt, die Abhängigkeit von einer dem Willen nicht unterworfenen, selbsttätigen Phantasie; ihn bedroht geradezu
die übergroße Neigung, durch imaginative Vorwegnahme die ange-

strebte Wirklichkeit vorzeitig zu erschöpfen. In einem Brief an Runge
(12.1.1810) beklagt Brentano diesen Mangel an Realitätssinn:

„Sie werden vielleicht selbst schon erfahren haben, daß man sich mit Wünschen
und Hoffnungen so herzlich herumtragen kann, daß man endlich glaubt, es sei
alles bereits gelungen und erfüllt, ja mir ist es mit solchen Täuschungen in meinem Leben einigemahl schon so ernstlich ergangen, daß ich im vollen Genuß des
Planes bis zur Sättigung gelangt, und dadurch um das Werck selbst gekommen
bin, das zwischen beiden liegen sollte.“

Brentanos Kräfte erlahmen immer wieder vor Vollendung der Pläne,
weil ihn gleichsam als Reaktion auf die Schreibbesessenheit der läh-
mende Zweifel überfällt, ob nicht das ausgesprochene Wort den Sinn
verfälsche. Diese Sprachkrise verstärkt sich zeitweilig zu einem Inspira-
tionsverlust. Als Brentano nach 1824 die Sprache wiederfindet, publiziert er, den veränderten Zeitverhältnissen gehorchend, überwiegend
polemische Tagesschriften. Seine neu entstehende Dichtung (vgl. 1.3,
Seite 90) verschließt er weitgehend dem Einblick einer ihm fremd
gewordenen Öffentlichkeit.

Heinrich von Kleist (1777–1811) gehört der romantischen Generation
an. Doch trotz zahlreicher Kontakte und Bekanntschaften und zeitweili-
ger Zusammenarbeit mit Adam Müller und Tieck ist er keiner der Grup-
pierungen zuzurechnen. Seine Dramen und Erzählungen weisen
beträchtliche Unterschiede zu den von den Romantikern bevorzugten
Dichtungstypen und Stilformen auf. Doch deshalb den mächtigen Einfluß romantischer Ideen auf ihn zu leugnen, hieße ihn stärker isoliert
sehen, als er es tatsächlich als Folge seines kompromißlosen Charakters
war. Kleists Leben spiegelt ungeglättet die widersprüchlichen Zeitver-
hältnisse. Ruheloses Probieren, rascher Wechsel von Neubeginn und
Abbruch sind die Kennzeichen einer andauernden Lebenskrise.
Die der Familientradition gemäße, zunächst eingeschlagene Offiziers-
laufbahn gibt Kleist 1799 auf. Er studiert einige Zeit Philosophie, Phy-
sik, Mathematik, Staatsökonomie, strebt jedoch bald die Tätigkeit eines
freien Schriftstellers an und macht hierzu die Bekanntschaft von
Zschokke, Wieland, Geßner, Goethe, Schiller. In dieser Zeit verlobt er
sich und entlobt sich zwei Jahre später. Er reist rastlos, solange es die
finanziellen Mittel erlauben, durch Europa. Für kurze Zeit versucht er,
in der ländlichen Abgeschiedenheit einer Schweizer Insel Ruhe zu finden; doch finanzielle Schwierigkeiten erzwingen den Abbruch des Expe-
riments. Wirtschaftliche Notlagen veranlassen Kleist, 1800/01 und 1804/
06 Stellungen im Staatsdienst anzunehmen bzw. 1811 anzustreben. 1803
plant er, auf französischer Seite gegen England zu kämpfen, doch wird
er nach Deutschland zurückgeschickt. Krankheit und Verzweiflung führen Ende des Jahres zu völligem Zusammenbruch; in dieser Zeit beab-

sichtigt er, Tischler zu werden. 1809 kommt er zu spät, um auf österreichischer Seite am Krieg gegen Napoleon teilzunehmen.

In all den Jahren schreibt Kleist, doch ohne ein Vertrauen in die vermit-
telnde Kraft der Sprache zu gewinnen. In Phasen des Selbstzweifels
vernichtet er immer wieder Aufzeichnungen und fast fertige Manuskripte. Eine Inszenierung eigener Theaterstücke bleibt ihm verwehrt;
die zustande gekommenen Aufführungen sind ohne Erfolg. Die von ihm
herausgegebenen Zeitschriften, die er weitgehend mit eigenen Texten
füllt, sind nicht ohne Resonanz, aber dennoch kurzlebig: ‚Phöbus. Ein
Journal für die Kunst‘ (1807–09); ‚Germania‘ (1809); ‚Berliner Abendblätter‘ (1810/11). Mit den ‚Abendblättern‘ verwirklicht Kleist einen
neuen Typ lokaler Tageszeitung, in der politische Nachrichten und
Kommentare, literarisches Feuilleton und Theaterberichterstattung
gemischt sind. Indes sichert ihm keine der vielfältigen Tätigkeiten eine
feste Position im literarischen Leben.

Zu einer unbedrängten Schriftstellerexistenz fehlt Kleist die ökonomische Unabhängigkeit, wie sie z. B. Achim von Arnim besitzt, der ein
Leben ungestörter wissenschaftlicher und literarischer Arbeit in der
Zurückgezogenheit seines Landgutes und in leidlichen Verhältnissen
führen kann. Er vermag auch nicht, sich den Anforderungen der gesellschaftlichen Verhältnisse so weit anzupassen wie z. B. die Brüder Schlegel, Uhland oder die Brüder Grimm, die sich die vorhandenen Frei-
räume akademischer Lehrtätigkeit oder bibliothekarischer Beschäftigung zunutze machen. Außerdem geht ihm der Wille, vielleicht auch die
Kraft, zu einer Doppelexistenz ab, wie sie wenige Jahre später beispiel-
los E. T. A. Hoffmann als preußischer Kammergerichtsrat und nacht-
schwärmender Dichter und Komponist leben wird.

Kleist stellt sich – allen Mißerfolgen und Entmutigungen zum Trotz –
immer von neuem seinen Problemen, in denen er solche seiner Zeit
erkennt. In seinem letzten Drama, ‚Prinz Friedrich von Homburg‘
(1809/10), greift er auf das historische Ereignis der Schlacht von Fehrbel-
lin (1675) zurück, in der die zahlenmäßig unterlegenen deutschen Truppen die Schweden besiegen und damit den Grundstein für den Aufstieg
Brandenburgs zu einer der führenden Mächte Europas legen. Fast über-
deutlich formuliert Kleist die Verbindung zu den zeitgenössischen Erfor-
dernissen, wenn er das Drama in dem Satz „In Staub mit allen Feinden
Brandenburgs!" enden läßt. Lange hat daher auch das staatspolitische
Verständnis des Stückes seine Interpretation beherrscht. Doch schon an
der überaus reservierten Aufnahme des Dramas, namentlich im preußischen Königshaus, kann man ablesen, daß die Vielschichtigkeit des
‚Prinz Friedrich von Homburg‘ den Zeitgenossen nicht entgangen ist:
Gewichtiger als der Aufruf zu patriotischer Solidarität und nationaler
Befreiung wird Kleists Kritik an der preußischen Führung und sein Ein-
treten für eine Reform des Heeres gewertet. Sie stößt ebenso wie der im

Drama dargestellte Konflikt zwischen der „Ordre des Krieges" und der „Ordre des Herzens" auf Ablehnung. Kleist läßt dem Prinzen von Homburg, der gegen die Ordre zu früh in die Schlacht eingegriffen hat, den Prozeß machen und ihn zum Tode verurteilen. Er verschärft damit gegen seine Quelle, nach der dem Prinzen lediglich ein Verweis erteilt worden ist, den Widerstreit zwischen Staatsraison und subjektiver, gefühlbestimmter Willkür. Gerade in der Abweichung von der geschichtlichen Wirklichkeit, in der Überzeichnung der aufeinanderprallenden, extremen Positionen wird Kleists individuelle Zeiterfahrung wie sein persönliches Lebensgefühl sichtbar. Im Drama eröffnet das vom Prinzen ausgesprochene Einverständnis mit dem Urteil dem Kurfürsten die Möglichkeit zur Begnadigung. Damit kann die Versöhnung zwischen dem „Kriegsgesetz" und den „lieblichen Gefühlen", die beide herrschen sollen (IV, 1), schließlich poetische Wirklichkeit werden.

Für Kleists Leben allerdings bleibt eine solche Versöhnung ein Traum, eine Utopie. Vor den unlösbaren Spannungen zwischen den gesellschaftlichen Gesetzmäßigkeiten und seiner eigenen inneren Wahrheit kapitulierend, nimmt Kleist sich das Leben. „Die Wahrheit ist, daß mir auf Erden nicht zu helfen war", schreibt er im letzten Brief (21.11.1811) an seine Stiefschwester Ulrike. So endet ein Dichter, der wie kein zweiter Ernst gemacht hat mit der radikalen Verbindung von Politik, Kunst und Leben.

Daten deutscher Literatur und Philosophie	Allgemeine kulturgeschichtliche und politische Daten
1755 J. J. Winckelmann: Gedanken über die Nachahmung der griechischen Werke in der Malerei und Bildhauerkunst	
1764 J. J. Winckelmann: Geschichte der Kunst des Altertums	
1775	Goethe übersiedelt nach Weimar
1776	Amerikanische Unabhängigkeitserklärung; A. Smith: Eine Untersuchung über Natur und Wesen des Volkswohlstandes
1779 G. E. Lessing: Nathan der Weise	
1780 G. E. Lessing: Die Erziehung des Menschengeschlechts	Friedrich II.: Über die deutsche Literatur
1781 Fr. Schiller: Die Räuber; I. Kant: Kritik der reinen Vernunft	Tod Lessings; Beginn der Reformen Kaiser Josephs II. (Aufhebung der Leibeigenschaft, Toleranzpatent)
1782 J. K. A. Musäus: Volksmärchen der Deutschen	W. A. Mozart: Die Entführung aus dem Serail
1783 Fr. Schiller: Die Verschwörung des Fiesko zu Genua; J. W. v. Goethe: Das Göttliche	Friede von Versailles
1784 Fr. Schiller: Kabale und Liebe; I. Kant: Was ist Aufklärung?; J. G. Herder: Ideen zur Philosophie der Geschichte der Menschheit (4 Bände bis 1791)	
1785 K. Ph. Moritz: Anton Reiser (4 Bände bis 1794); Fr. Schiller: An die Freude	Halsbandprozeß in Frankreich; J. H. Campe: Allgemeine Revision des gesamten Schul- und Erziehungswesens (bis 1791)
1786	Goethes erste Italienreise; Tod Friedrichs II., Nachfolger Friedrich Wilhelm II.; W. A. Mozart: Figaros Hochzeit
1787 J. W. v. Goethe: Iphigenie auf Tauris; J. J. W. Heinse: Ardinghello; Fr. Schiller: Don Carlos	J. H. W. Tischbein: Goethe auf Ruinen in der Campagna; W. A. Mozart: Don Giovanni, Eine kleine Nachtmusik
1788 Fr. Schiller: Die Götter Griechenlands; J. W. v. Goethe: Egmont; I. Kant: Kritik der praktischen Vernunft	
1789	Beginn der Französischen Revolution

Daten deutscher Literatur und Philosophie	Allgemeine kulturgeschichtliche und politische Daten
1790 J. W. v. Goethe: Torquato Tasso, Faust. Ein Fragment; I. Kant: Kritik der Urteilskraft	Tod Kaiser Josephs II., Nachfolger Leopold II.
1791	W. A. Mozart: Die Zauberflöte; D. A. F. Marquis de Sade: Justine oder die Gefahren der Tugend
1792 J. G. Sulzer: Allgemeine Theorie der schönen Künste (4 Bände bis 1799)	Krieg Frankreichs gegen Österreich; Sturm auf die Tuilerien; Tod Leopolds II., Nachfolger Franz II.; Goethes Teilnahme an der Kanonade von Valmy
1793 Fr. Schiller: Über Anmut und Würde; J. G. Herder: Briefe zur Beförderung der Humanität (10 Bände bis 1797); J. G. Fichte: Zurückforderung der Denkfreiheit	Hinrichtung Ludwigs XVI.; Herrschaft der Jakobiner; Zweite Teilung Polens
1794 J. G. Fichte: Grundlage der gesamten Wissenschaftslehre; J. W. v. Goethe: Reineke Fuchs	Allgemeines Landrecht in Preußen; Danton und Robespierre werden hingerichtet; Gründung der ‚École Polytechnique' in Paris; Bündnis zwischen Goethe und Schiller
1795 J. W. v. Goethe: Unterhaltungen deutscher Ausgewanderten, Wilhelm Meisters Lehrjahre; Fr. Schiller: Über die ästhetische Erziehung des Menschen in einer Reihe von Briefen, Über naive und sentimentalische Dichtung; F. W. J. Schelling: Vom Ich als Prinzip der Weltseele; I. Kant: Zum ewigen Frieden; Jean Paul [Fr. Richter]: Hesperus oder 45 Hundsposttage; L. Tieck: Peter Lebrecht (2 Bände bis 1796), Geschichte des Herrn William Lovell (3 Bände bis 1796)	Herrschaft des Direktoriums in Frankreich; Friede zu Basel zwischen Preußen und Frankreich; Dritte Teilung Polens; J. Haydn: (seit 1791) zwölf Londoner Symphonien; Eröffnung des Schauspielhauses in Potsdam
1796 Jean Paul: Leben des Quintus Fixlein; Blumen-, Frucht- und Dornenstücke oder Ehestand, Tod und Hochzeit des Armenadvokaten F. St. Siebenkäs im Reichsmarktflecken Kuhschnappel (3 Bände bis 1797)	Tod Katharinas II. von Rußland, Nachfolger Paul I. (1801 ermordet); Einführung der Pockenimpfung durch E. Jenner
1797 J. W. v. Goethe: Hermann und Dorothea; F. W. J. Schelling:	Tod Friedrich Wilhelms II., Nachfolger Friedrich Wilhelm III.; J.

Daten deutscher Literatur und Philosophie

Ideen zu einer Philosophie der Natur; Fr. Hölderlin: Hyperion oder der Eremit in Griechenland (2 Bände bis 1799); I. Kant: Die Metaphysik der Sitten; L. Tieck: Volksmärchen; W. H. Wackenroder: Herzensergießungen eines kunstliebenden Klosterbruders

1798 J. W. v. Goethe: Balladen; Fr. Schiller: Balladen; Fr. Schiller: Wallenstein-Trilogie (gedr. 1800); Fr. Hölderlin: Tod des Empedokles; F. W. J. Schelling: Von der Weltseele; A. W. Schlegel/Fr. Schlegel: Athenäum (bis 1800); L. Tieck: Franz Sternbalds Wanderungen

1799 Novalis [Fr. v. Hardenberg]: Die Christenheit oder Europa; Fr. Hölderlin: Gedichte; Fr. Schlegel: Lucinde; Fr. Schleiermacher: Reden über die Religion an die Gebildeten unter ihren Verächtern; W. H. Wackenroder: Phantasien über die Kunst für Freunde der Kunst

1800 J. G. Fichte: Der geschlossene Handelsstaat; Novalis: Hymnen an die Nacht; Jean Paul: Titan (4 Bände bis 1803); Fr. Schiller: Das Lied von der Glocke; Fr. Schiller: Maria Stuart; F. W. J. Schelling: System des transzendentalen Idealismus; L. Tieck: Leben und Tod der heiligen Genoveva

1801 C. Brentano: Godwi oder das steinerne Bild der Mutter (2 Bände bis 1802); G. W. F. Hegel/F. W. J. Schelling: Kritisches Journal der Philosophie (2 Bände bis 1803); Fr. Schiller: Die Jungfrau von Orleans

1802 Novalis: Heinrich von Ofterdingen; Novalis: Geistliche Lieder und Schriften [postum]

Allgemeine kulturgeschichtliche und politische Daten

Haydn: Kaiser-Quartett [mit der Melodie des ‚Deutschlandliedes‘]

Koalitionskrieg gegen Frankreich; Th. R. Malthus: Versuch über das Bevölkerungs-Gesetz; J. Haydn: Die Schöpfung

Sturz des Direktoriums; Napoleon Bonaparte wird Erster Konsul; Verbot der Gewerkschaften in England; erste Dampfmaschine in Berlin

Vereinigtes Königreich Großbritannien und Irland gegründet; Entdeckung des galvanischen Elements durch Alessandro Volta

Friede von Lunéville; J. Haydn: Die Jahreszeiten; O. Evans konstruiert die erste Hochdruckdampfmaschine

Entzifferung der babylonischen Keilschrift durch G. F. Grotefend; L. van Beethoven: Heiligenstädter Testament; A. v. Humboldt besteigt den Chimborasso in Ecuador

Daten deutscher Literatur und Philosophie	Allgemeine kulturgeschichtliche und politische Daten
1803 C. Brentano: Die lustigen Musikanten; J. W. v. Goethe: Leben des Benvenuto Cellini; J. P. Hebel: Alemannische Gedichte; H. v. Kleist: Die Familie Schroffenstein; A. F. F. Kotzebue: Die deutschen Kleinstädter; F. W. J. Schelling: Vorlesung über die Methode des akademischen Studiums; Fr. Schiller: Die Braut von Messina; J. G. Seume: Spaziergang nach Syrakus im Jahre 1802; F. L. Z. Werner: Die Söhne des Thales (2 Bände bis 1804)	Tod Herders; Tod Klopstocks
1804 Jean Paul: Vorschule der Ästhetik, Flegeljahre (4 Bände bis 1805); E. A. F. Klingemann: Nachtwachen von Bonaventura; Fr. Schiller: Wilhelm Tell; Fr. Schleiermacher: Platons Werke (Übersetzung; 6 Bände bis 1809)	Bonaparte wird als Napoleon I. zum erblichen Kaiser der Franzosen gekrönt und vom Papst gesalbt; französisches Zivilrecht im ‚Code civil‘ (‚Code Napoléon‘) geregelt; L. van Beethoven: 3. Symphonie Es-Dur; Fr. Sertürner entdeckt im Opium das Morphium
1805 J. W. v. Goethe: Winckelmann und sein Jahrhundert	Tod Schillers; J.-M. Jacquard erfindet Webmaschine für gemusterte Gewebe
1806 C. Brentano/A. v. Arnim: Des Knaben Wunderhorn	Gründung des Rheinbundes; Erlöschen des Heiligen Römischen Reiches Deutscher Nation mit der Niederlegung der Kaiserkrone durch Franz II.
1807 J. v. Görres: Die teutschen Volksbücher; G. W. F. Hegel: System der Wissenschaft. Die Phänomenologie des Geistes; J. F. Herbart: Allgemeine Pädagogik; Jean Paul: Levana; H. v. Kleist: Amphitryon	Friede zu Tilsit; Königreich Westfalen unter Napoleons Bruder Jérôme; Beginn der preußischen Reformen; Verbot des Sklavenhandels in den britischen Kolonien; erstes Dampfschiff auf dem Hudson
1808 J. G. Fichte: Reden an die deutsche Nation; J. W. v. Goethe: Faust (1. Teil); H. v. Kleist: Der zerbrochne Krug, Penthesilea, Die Marquise von O..., Die Hermannsschlacht; Fr. Schlegel: Von der Sprache und Weisheit der Inder; G. H. v. Schubert: Ansichten von der Nachtseite der Naturwissenschaft	Brockhaus begründet sein Konversationslexikon; Goethe trifft Napoleon in Erfurt; USA verbieten Sklaveneinfuhr

Daten deutscher Literatur und Philosophie	Allgemeine kulturgeschichtliche und politische Daten

1809 J. W. v. Goethe: Pandora, Die Wahlverwandtschaften; Jean Paul: Dr. Katzenbergers Badereise; H. v. Kleist: Prinz Friedrich von Homburg; F. W. J. Schelling: Philosophische Untersuchungen über die menschliche Freiheit

C. D. Friedrich: Mönch am Meer; F. Goya: Die Erschießung spanischer Freiheitskämpfer; L. van Beethoven: 5. Klavierkonzert Es-Dur; K. F. Zelter gründet in Berlin die ‚Liedertafel'; C. F. Gauß: Theorie der Bewegung der Himmelskörper

1810 A. v. Arnim: Armut, Reichtum, Schuld und Buße der Gräfin Dolores; J. G. Fichte: Die Wissenschaftslehre in ihrem allgemeinen Umrisse; F. H. K. (de la Motte) Fouqué: Der Held des Nordens (3 Bände seit 1808); J. W. v. Goethe: Zur Farbenlehre; H. v. Kleist: Das Käthchen von Heilbronn, Erzählungen (2 Bände bis 1811); A. Müller: Elemente der Staatskunst; F. L. Z. Werner: Der vierundzwanzigste Februar (gedr. 1815)

Fortsetzung der preußischen Reformen unter K. A. v. Hardenberg; Gründung der Berliner Universität durch W. v. Humboldt; L. van Beethoven: Musik zu Goethes ‚Egmont'

1811 A. v. Arnim: Halle und Jerusalem; C. Brentano: Der Philister vor, in und nach der Geschichte; F. H. K. (de la Motte) Fouqué: Undine; J. P. Hebel: Schatzkästlein des rheinischen Hausfreundes

C. D. Friedrich: Morgen im Riesengebirge, Greifswalder Hafen; Fichte erster Rektor der Universität in Berlin; F. L. Jahn errichtet den ersten Turnplatz in Hasenheide (Berlin); F. Krupp gründet Gußstahlfabrik in Essen; Freitod Kleists

1812 A. v. Arnim: Isabella von Ägypten, Kaiser Karls des Fünften erste Jugendliebe; J. W. v. Goethe: Aus meinem Leben. Dichtung und Wahrheit (bis 1831); J. Grimm/W. Grimm: Kinder- und Hausmärchen (3 Bände bis 1822); G. W. F. Hegel: Wissenschaft der Logik; L. Tieck: Phantasus (3 Bände bis 1816)

Napoleons Rußlandfeldzug

1813 E. M. Arndt: An die Preußen; E. T. A. Hoffmann: Phantasiestücke in Callots Manier (4 Bände bis 1815); A. Schopenhauer: Über die vierfache Wurzel des Satzes vom zureichenden Grund

Beginn der Befreiungskriege gegen Napoleon; Aufruf des Königs von Preußen ‚An mein Volk!'; Völkerschlacht bei Leipzig; Auflösung des Rheinbundes

Daten deutscher Literatur und Philosophie	Allgemeine kulturgeschichtliche und politische Daten
1814 E. M. Arndt: Entwurf einer teutschen Gesellschaft; A. v. Chamisso: Peter Schlemihls wundersame Geschichte; Th. Körner: Leier und Schwert; G. H. v. Schubert: Die Symbolik des Traumes	Wiener Kongreß versucht, Europa neu zu ordnen; L. van Beethoven: Fidelio; Stephenson baut erste Lokomotive; Gasbeleuchtung in London (1815 in Paris, 1826 in Berlin)
1815 C. Brentano: Die Gründung Prags; J. v. Eichendorff: Ahnung und Gegenwart; J. W. v. Goethe: Sonette; E. T. A. Hoffmann: Die Elixiere des Teufels; L. Uhland: Gedichte	Schlacht bei Waterloo; Napoleons Verbannung nach St. Helena; F. Schubert vertont Gedichte von Goethe, darunter ‚Erlkönig‘ und ‚Heidenröslein‘
1816	F. Bopp entdeckt die Verwandtschaft der indoeuropäischen Sprachen; K. v. Haller: Restauration der Staatswissenschaft
1817 C. Brentano: Die Geschichte vom braven Kasperl und dem schönen Annerl; A. v. Arnim: Die Kronenwächter; E. T. A. Hoffmann: Nachtstücke	Wartburgfest der deutschen Burschenschaften
1818 A. v. Arnim: Der tolle Invalide auf dem Fort Ratonneau; C. Brentano: Aus der Chronika eines fahrenden Schülers	Die ‚Allgemeine deutsche Burschenschaft‘ wird gegründet
1819 J. v. Eichendorff: Das Marmorbild; J. W. v. Goethe: West-östlicher Divan; E. T. A. Hoffmann: Die Serapionsbrüder (4 Bände bis 1821); A. Schopenhauer: Die Welt als Wille und Vorstellung	Ermordung Kotzebues; Beginn der sog. Demagogenverfolgung im Zusammenhang mit den ‚Karlsbader Beschlüssen‘
1820 E. T. A. Hoffmann: Lebensansichten des Katers Murr (2 Teile bis 1822); W. Müller: Die schöne Müllerin	A. Ampère entdeckt Kraftwirkungen zwischen elektrischen Strömen
1821 J. W. v. Goethe: Wilhelm Meisters Wanderjahre oder die Entsagenden; G. W. F. Hegel: Grundlinien der Philosophie des Rechts	
1822 E. T. A. Hoffmann: Meister Floh	Tod Hoffmanns
1826 J. v. Eichendorff: Aus dem Leben eines Taugenichts; L. Tieck: Der Aufruhr in den Cevennen; Justinus Kerner: Gedichte	
1828 J. W. v. Goethe: Novelle	
1832 J. W. v. Goethe: Faust (2. Teil)	Tod Goethes

Literaturhinweise

* für den Unterricht leicht zugänglich

a) Textsammlungen

Sturm und Drang, Klassik, Romantik. Hrsg. von Hans-Egon Hass. 2 Bände. Beck, München 1966 (Die deutsche Literatur. Texte und Zeugnisse. Band V, 1 und V, 2). [Auch als Lizenzausgabe bei der Wissenschaftlichen Buchgesellschaft, Darmstadt.]

* Klassik. Hrsg. von Gabriele Wirsich-Irwin. Reclam, Stuttgart 1974 (Die deutsche Literatur. Ein Abriß in Text und Darstellung. Hrsg. von Otto F. Best und Hans-Jürgen Schmitt. Band 7).

* Romantik. 2 Bände. Hrsg. von Hans-Jürgen Schmitt. Reclam, Stuttgart 1965 (Die deutsche Literatur. Ein Abriß in Text und Darstellung, [s. o.], Band 8 und 9).

* Klassik. Kunst- und Dichtungstheorien. Hrsg. von Wilhelm Große. Klett, Stuttgart 1981 (Editionen für den Literaturunterricht).

* Zeichen der Zeit. Ein deutsches Lesebuch. Band 2: 1786–1832. Hrsg. von Walter Killy. Luchterhand, Neuwied 1981 (Sammlung Luchterhand. 352).

* Erzählungen der Romantik mit Materialien. Auswahl der Texte und der Materialien von Wilhelm Große. Klett, Stuttgart 1981 (Editionen für den Literaturunterricht).

* 99 romantische Gedichte. Liebesleid und Natursehnsucht: Die Antiträume des Bürgers. Mit einem Essay und Kurzbiographien aufgelesen von Lienhard Wawrzyn. Wagenbach, Berlin 1978 (Wagenbachs Taschenbücherei. 37).

b) Begriff und Epoche

Klassik

Begriffsbestimmung der Klassik und des Klassischen. Hrsg. von Heinz Otto Burger. Wissenschaftliche Buchgesellschaft. Darmstadt 1972 (Wege der Forschung. 210).

Grimm, Reinhold / Hermand, Jost: Die Klassik-Legende. Athenäum, Frankfurt a. M. 1971.

Romantik

Begriffsbestimmung der Romantik. Hrsg. von Helmut Prang. Wissenschaftliche Buchgesellschaft, Darmstadt 1968 (Wege der Forschung. 150).

Hoffmeister, Gerhart: Deutsche und europäische Romantik. Stuttgart 1978 (Sammlung Metzler. 170).

c) Gesamtdarstellungen der Epoche und Aufsatzsammlungen

Geschichte der deutschen Literatur vom 18. Jahrhundert bis zur Gegenwart.
Hrsg. von Viktor Žmegač. Band I/2. 1700–1848. Königstein 1979 (Athenäum-
Taschenbücher. 2153).
Die deutsche Romantik. Poetik, Formen und Motive. Hrsg. von Hans Steffen.
Göttingen ³1978 (Kleine Vandenhoeck-Reihe. 1250).
Die europäische Romantik. Hrsg. von Ernst Behler. Frankfurt a. M. 1972.
Romantik. Ein literaturwissenschaftliches Studienbuch. Hrsg. von Ernst Ribbat.
Königstein 1979 (Athenäum-Taschenbücher. 2149).
Romane und Erzählungen der deutschen Romantik. Neue Interpretationen.
Hrsg. von Paul Michael Lützeler. Reclam, Stuttgart 1981.
Deutsche Literatur zur Zeit der Klassik. Hrsg. von Karl Otto Conrady. Reclam,
Stuttgart 1977.

d) Leben und Werk einzelner Autoren

Deutsche Dichter des 18. Jahrhunderts. Ihr Leben und Werk. Hrsg. von Benno
von Wiese. Erich Schmidt, Berlin 1977.
Deutsche Dichter der Romantik. Hrsg. von Benno von Wiese. Erich Schmidt,
Berlin 1971.
Pikulik, Lothar: Romantik als Ungenügen an der Normalität. Am Beispiel
Tiecks, Hoffmanns, Eichendorffs. Suhrkamp, Frankfurt a. M. 1979.
* Dischner, Gisela: Bettina von Arnim. Eine weibliche Sozialbiographie aus dem
neunzehnten Jahrhundert. Berlin 1981 (Wagenbachs Taschenbücherei. 30).
* Drewitz, Ingeborg: Bettina von Arnim. Romantik – Revolution – Utopie. Wil-
helm Heyne, München ³1980 (Heyne Biographien).
* Dischner, Gisela: Caroline und der Jenaer Kreis. Ein Leben zwischen bürgerli-
cher Vereinzelung und romantischer Geselligkeit. Berlin 1979 (Wagenbachs
Taschenbücherei. 61).
* Stöcklein, Paul: Joseph von Eichendorff. Rowohlt, Reinbek bei Hamburg 1963
(rowohlts monographien. 84).
Borchmeyer, Dieter: Höfische Gesellschaft und Französische Revolution bei
Goethe. Adliges und bürgerliches Wertsystem im Urteil der Weimarer Klassik.
Scriptor, Kronberg 1977.
* Friedenthal, Richard: Goethe. Sein Leben und seine Zeit. Piper, München
⁷1974.
E. T. A. Hoffmann. Hrsg. von Helmut Prang. Wissenschaftliche Buchgesell-
schaft, Darmstadt 1976 (Wege der Forschung. 486).
Beck, Adolf: Hölderlin. Eine Chronik seines Lebens. Frankfurt a. M. 1975 (insel
taschenbuch. 83).
Bertaux, Pierre: Hölderlin und die Französische Revolution. Frankfurt a. M.
1969 (edition suhrkamp. 344).
* Ryan, Laurence: Friedrich Hölderlin. Stuttgart ²1967 (Sammlung Metzler.
M 20).
Jean Paul. Hrsg. von Heinz Ludwig Arnold. München 1970 (Text + Kritik.
Sonderband).

Jean Paul. Hrsg. von Uwe Schweikert. Wissenschaftliche Buchgesellschaft, Darmstadt 1974 (Wege der Forschung. 336).

* Hohoff, Curt: Heinrich von Kleist. Rowohlt, Reinbek bei Hamburg 1958 (rowohlts monographien. 1).

Heinrich von Kleist. Aufsätze und Essays. Hrsg. von Walter Müller-Seidel. Wissenschaftliche Buchgesellschaft, Darmstadt ³1980 (Wege der Forschung. 147).

Kleists Aktualität. Neue Aufsätze und Essays 1966–1978. Wissenschaftliche Buchgesellschaft, Darmstadt 1981 (Wege der Forschung. 586).

Novalis. Beiträge zu Werk und Persönlichkeit Friedrich von Hardenbergs. Hrsg. von Gerhard Schulz. Wissenschaftliche Buchgesellschaft, Darmstadt 1970 (Wege der Forschung. 248).

Schillers Dramen. Neue Interpretationen. Hrsg. von Walter Hinderer. Reclam, Stuttgart 1979.

Sautermeister, Gert: Idyllik und Dramatik im Werk Friedrich Schillers. Zum geschichtlichen Ort seiner klassischen Dramen. Kohlhammer, Stuttgart 1971.

Ludwig Tieck. Hrsg. von Wulf Segebrecht. Wissenschaftliche Buchgesellschaft, Darmstadt 1976 (Wege der Forschung. 386).

Siehe auch weitere Titel in den rowohlt-monographien.

e) Zu den 'Nachbarkünsten' in der Romantik

* Kleßmann, Eckart: Die deutsche Romantik. Köln 1979 (DuMont Taschenbücher. 74).

Philipp Otto Runge. Leben und Werk in Daten und Bildern. Hrsg. von Stella Wega Mathieu. Frankfurt 1977 (insel taschenbuch. 316).

* Fiege, Gertrud: Caspar David Friedrich. Rowohlt, Reinbek bei Hamburg 1977 (rowohlts monographien. 252).

f) Zur Sozialgeschichte

Barth, Ilse-Marie: Literarisches Weimar. Kultur, Literatur, Sozialstruktur im 16.–20. Jahrhundert. Stuttgart 1971 (Sammlung Metzler. M 93).

* Bruford, Walter Horace: Kultur und Gesellschaft im klassischen Weimar 1775–1806. Vandenhoeck & Ruprecht, Göttingen 1967.

ders.: Die gesellschaftlichen Grundlagen der Goethezeit. Frankfurt a. M. ²1975 (Ullstein Taschenbuch. 3142).

* Brunschwig, Henri: Gesellschaft und Romantik in Preußen im 18. Jahrhundert. Berlin 1976 (Ullstein Buch. 3500).

Koselleck, Reinhart: Preußen zwischen Reform und Revolution. Allgemeines Landrecht, Verwaltung und soziale Bewegung von 1791 bis 1848. Klett, Stuttgart ³1981.

* Treue, Wilhelm: Gesellschaft, Wirtschaft und Technik Deutschlands im 19. Jahrhundert. München 1975 (dtv. 4217).

Tümmler, Hans: Das klassische Weimar und das große Zeitgeschehen. Historische Studien. Böhlau, Köln und Wien 1975.

Register der Autoren und Werke

(Die in der Datentafel S. 145–150 genannten Namen sind hier nicht erfaßt.)